fta
한 스푼

fta 한 스푼

우석훈 지음

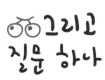

그리고
질문 하나

레디앙

머
리
말

　나는 7년 전에 fta에 관한 첫 책을 썼다. 그 책은 법정 스님이
생전에 법회에서 필독서로 추천해 주셨다. 저자로서는 더없는 영
광이었다. 그 이후 fta에 관한 책을 다시 쓸 계획은 없었다. 기본
적으로 알아야 할 것들은 첫 번째 책에 어느 정도는 담겼다고 생
각했으며, 그 후에 시작된 '경제 대장정 시리즈'를 통해서 세상에
대한 내 생각을 상당 부분 펼쳐 보였기 때문이다. 그런데 작년 가
을과 겨울, 국회에서 한미 fta가 급박하게 상정되고 날치기로 통
과되는 것을 지켜보면서 새로운 책을 한 권 더 써야겠다고 생각
했다. 첫 번째 책과는 조금 다른 각도에서, 그리고 협정이 이미
발효되고 대선을 기다리는 이 시점에서 근본적으로 통상에 대한

질문을 던져 보고 싶었다. 그리고 무엇보다도 이 시대를 살아가는 경제학자로서 뭐라도 해야 한다는 생각이 강했다. 어찌 보면 의무감일 수도 있고, 달리 보면 잘못 날아간 활을 다시 활시위로 집어넣겠다는 무모한 시도일지도 모르겠다.

원고를 정리하는 동안 계절이 세 번 바뀌었다. 늦은 가을에 시작해서 추운 겨울이 왔다. 그리고 짧게, 만물이 화해하는 봄이 왔다. 봄은 길지 않았다. 봄에 치러진 총선은 잔인했다. 한나라당은 새누리당으로 이름을 바꾸었고, 총선은 그들의 압승으로 끝났다. 책에서 '괴수'라는 은유를 사용했는데, 그야말로 괴수가 본격적으로 움직이기 시작한 순간이 왔다. 계절이 세 번 바뀌는 동안에 상징적으로 최고의 스포트라이트를 받은 것은 미국산 체리였다. KBS 등 방송에서 한미 fta 체결로 혜택을 가장 많이 볼 것으로 등장한 것이 체리다. 그러나 체리 값은 떨어지지 않았다. fta를 찬성하는 측에서나 반대하는 측에서나 체리는 한미 fta를 상징하는 최고의 스타로 떠올랐다. 미국 같은 거대 경제권과의 자유 무역 체결에서 기껏해야 체리라니. 그러나 실제로 최대 수혜 품목으로 떠오른 것은 체리였고, 또 값이 떨어지지 않는다고 제일 먼저 지적된 것도 체리였다.

우습지 않은가? 뭔가 엄청나게 큰일이 벌어질 것이라고들 얘기했는데, 막상 논쟁의 초점은 체리 값이 떨어졌네 떨어지지 않았네 하는 것이니 말이다. 어쩌면 우리는 모두 터무니없이 낙관적이며 낭만적인지도 모르겠다. 소소한 일에 목숨 거는 것, 어쩌면 그게 정말로 유럽형 선진국의 특징인지도 모르겠다. 알게 모르게 나도 '뉴욕 스타일'이라는 단어를 많이 쓴다. 우디 앨런의 영화는 퍽 수다스러운데, 미국보다는 유럽에서 훨씬 많이 본다. 영화 〈맨하탄〉에는 아주 소소한 일에 목숨을 걸면서 당장이라도 연애를 하지 않으면 죽을 것 같은 미국 중산층의 모습이 나온다. 한미 fta 발효와 그를 앞둔 논쟁 과정에서 체리라니! 그새 우리는 모두 우디 앨런식 수다를 유럽 중산층 수준으로 즐길 수 있는, 유머 가득하고 낭만적인 인간들이 된 것인가! 이것이 내가 7년에 걸친 fta 논쟁을 보면서 느낀 가장 낭만적인 모습이었다. 자두를 모티브로 fta에 관한 글을 쓴 적이 있는데, 이제 보란 듯이 체리가 주인공으로 등장했으니, 대체재로 앵두가 나오지 말란 법도 없다. 중국과 마늘 협상을 할 때에 비해서 낭만적이기는 하다.

파리에서 살 때 잠시 주택에 머문 적이 있었다. 1층 내 방 앞에 체리나무가 있었고, 전기박사라고 번역하기도 하는 DEA라는 학위 논문을 쓰던 여름 내내 체리와 함께 지냈다. 나무에서 딴 체리를 실컷 먹으면서, 프로이트와 헤겔 등의 철학책을 읽었다. fta 논의를 보면서 나는 체리나무를 심기로 마음먹었는데, 아내는 앵두나무를 심자고 강력하게 우겼다. 결국 앵두와 체리를 같이 심기로 결정했다. 몇 년이 지나야 앵두와 체리를 먹을 수 있겠지만, 시간은 흘러가게 마련이다. 나도 지금의 이 순간을 즐겁게 추억

하고 싶다.

책 제목이 'fta 한 스푼'이 된 데에는 약간의 사연이 있다. 맨 처음 잡았던 제목은 해리슨 포드 주연으로 유명해진, 잭 라이언 박사가 CIA 분석관으로 맹활약하는 영화 시리즈의 마지막 작품 제목인 '모든 공포의 총합'이었다. 그즈음 광주에 사는 독자로부터 '한 스푼 인생'이라는 표현을 듣게 되었다. 에세이집 제목이었던 '1인분 인생'을 '한 스푼 인생'으로 착각했다는 것이다. 기막힌 표현이라는 생각이 들었다.

나는 원래 TV는 공중파만 보았는데, 공중파가 이상해진 다음에는 어쩔 수 없이 IPTV를 신청해서 케이블을 보게 되었다. 공중파가 이상해지고 종편이 나온 다음에, 밀리고 밀려서 그냥저냥 케이블을 보게 된 것이다. 요즈음 우리 집에서 최고의 채널은 요리 전문 채널인 올리브 TV와 푸드 TV다. 이번 시즌의 머스트 해브 아이템은 안토니오와 한때 '미수다'의 스타였던 이탈리아 출신의 크리스티나가 함께 진행하는 〈올댓 파스타〉라는 프로였다. 그리고 최고의 코믹 스타는, 사장이 새누리당 국회의원 후보로 출마하곤 하는 하림각의 주방장 담소룡이었다. 이 기간, 전 세계적으로 최고의 스타가 된 사람은 영국 민중의 영웅이자 1세계 최고의 요리사인 제이미 올리버이다. 불량 청소년을 전문 요리사로 만들고 일할 수 있게 해 주었던 '피프틴'이라는 식당에서 영국의 친환경 학교 급식 개선 등, 그야말로 음식 혁명이라고 할 만한 것을 이끌고 있는 '75년생' 영웅이다. 음식에도 '자본론'이 있다면 제이미 올리버가 바로 카를 마르크스이고, 그의 세계에서는 텃밭의 작은 허브나 풀이 주인공이 된다. 그에게는 벌써 영국 여왕의 작위가 주어졌다. 베컴 다음으로 인기 있는 영국인이기도 하고, 빈곤해서 집에서 요리를 해 먹을 수 없게 된, 이제는 해체되어 가는 중산층과 요리는 먼 나라 얘기이기만 했던 도시 빈민들에게 간단하지만 직접 해 먹을 수 있는 요리를 설파한 사람이기도 하다. 제이미 올리버가 우리에게 알려 준 가장 큰 팁은, 식재료가 어디에서 왔고 누가 관리한 건지, 이른바 '리테일러'에 대해서 고민해야 한다는 점이었다.

'공포'와 '한 스푼' 사이, 핵폭탄과 체리 사이에 사실 많은 변화가 있었다. 한 스푼은 계량화의 산물이자 요리 프로그램으로 익숙해진 단어이다. 스푼이라는 용어를 생각하고 나서, 운동권과 운동권 아닌 사람, 극좌에서 극우에 이르기까지 꽤 많은 사람에게 이 단어에 대해서 물어보았다. 내가 이해한 대로만 말하면, 스푼에서 뭔가 느끼는 사람과 그렇지 않은 사람으로 나누어졌다. 이건 신자유주의, 민주화, 생태주의, 인권 혹은 우리 민족 제일주의 같은, 짧게는 98년도의 정권 교체 이후, 길게는 87년 민주 항쟁 이후, 그것에 반대하든 반대하지 않든 그런 용어에 익숙했던 사람들과는 전혀 다른 문화와 표현법 그리고 감성에 관한 이야기이기도 하다. 작업 과정에서 사람들을 만나면서 '모든 공포의 총합'과 'fta 한 스푼'이라는, 두 가지 표현법 사이에 엄청난 차이가 있다는 것을 알게 되었다. 이건 옳고 틀리고의 문제는 아닌 듯싶다. 어쨌든 나는 한 스푼 쪽을 선택하였다. 독자들에게 어떤 의미로 다가갈지는 알 수 없지만, fta 책으로 일반적이지 않은 쪽을 선택하였다. 결국 이 책은 자발적이든 아니든, 한미 fta의 스타가 된 체리에게 바치는 오마주이며, 제이미 올리버에 대한 헌사가 된 셈이다.

책은 3장으로 나누어져 있다. 1장에서는 fta가 한국에서 추진되는 여러 정황에 대해서 개괄적으로 살펴보았다. 2장에서는 왜 내가 한미 fta를 공포라고 생각하는지, 그리고 구체적으로 어떤 사람들이 피해를 보게 될지 자세히 살펴보았다. 3장에서는 지금과 같은 방식의 동시 다발적 fta가 옳은 것인지, 최소한 지금보다 상황을 개선하기 위해서 우리가 무얼 바꾸어야 하는지 정리해 보았다. 보통의 경우라면 6장 혹은 7장의 구조가 될 것이지만, 독자들이 생각의 흐름을 쫓아가기 편하게 장수를 줄였다.

책을 쓰는 동안 나에게도 변화가 많았다. 김미화 선배, 선대인 소장과 함께 〈나는 꼼사리다〉를 진행하게 되었다. 현업 경제학자로서의 삶을 조금씩 마무리하면서 대학 수업을 종료하였고, 신문 칼럼도 정리하였다. 이제는 영포 고양이로 더 알려진 야옹구는 자궁축농증으로 구름다리를 막 넘어가는 걸 겨우겨우 살려서 다시 데리고 왔다. 과메기를 워낙 좋아해서 졸지에 영포 라인으로 몰리게 되었다. 마당에 사는 고양이 가족에게는 새끼가 두 마리 태어났다. 현충일에 태어나서 현충, 많은 사람이 멘붕을 호소하는 시기에 태어나서 멘붕, 강남 시대를 극복하라고 강북, 생활협동조합이 더 많아졌으면 좋겠다는 의미에서 생협…(흑흑, 앞의 두 마리가 죽고, 나머지 두 마리가 이렇게 살아남았어요…).어쨌든 이렇게 삶은 계속된다는 것을 배워 가는 중이다.

총선과 대선 사이에 한국에서는 많은 변화가 일어날 것이다. 그리고 어떤 정권이 들어서든 경제 위기의 깊은 터널을 통과하게 될 가능성이 높다. 그 기간에 한국도 급격히 변화할 것이다. 그 사이에 fta에 관한 논의가 한 스푼만큼이라도 남아 있기를 희망한다.

이 기회에 오랫동안 나에게 조언을 아끼지 않았던 이해영 교수, 우석균 실장, 홍기빈 박사에게 각별히 감사드린다. 몇 번이고 출간을 포기하고 싶었던 이 책이 발간된 것은 법률 조항의 자문을 기꺼이 맡아 준 송기호 변호사의 절절함 덕분이다. 『88만원 세대』 때부터 모든 것을 같이했던 〈레디앙〉의 이광호 선배와 이상덕 씨에게도 감사드린다. 그리고 가장 적극적으로 원고를 읽어 주신, 타이거픽쳐스의 조철현 대표와 영화계의 동료들에게도 각별히 감사드린다.

이 책의 제목과 부제를 정하고 골격을 잡아 나가는 과정에서, 트위터에서 논의가 활발히 이루어졌다. 그분들에게도 깊이 감사드린다. 원래는 경제 대장정 시리즈의 마지막 에필로그에서 쓰려고 아껴 두었던 구호를 그분들에게 바친다.

우리는 지는 법이 없습니다!

2012년 7월

우석훈

차례

1장 내부의 힘인가, 외부의 힘인가

1장

내부의 힘인가, 외부의 힘인가

fta 한 스푼

삼성으로 간 김현종을
믿기 어렵다

톰 클랜시는 현실적으로 CIA와 펜타곤에 여러 가지 파국의 시나리오를 거의 공식적으로 제공하는 작가인데, 『붉은 시월』의 세계적 성공 이후 이런 기관들과 매우 특권적인 관계를 가지게 되었다. 그는 스티븐 킹 다음으로 세계에서 가장 많이 읽히는 미국 작가이다. 그의 책은 모두 공화당의 시각에 대한 홍보물이며, 극우파적이며 군사주의적이고 일방주의적이며 또한 보수적이다. 그리고 그 스스로도 매우 활동적인 공화당의 로비스트이다. 그의 자택의 정원은 2차 세계 대전 때 출전했던 진짜 전차로 장식되어 있다. 그의 저작이 가지고 있는 힘은 짧고도 매혹적인 장면들을 끊어서 배열하는 방식에 있는데, 이러한 서술 방식은 영화로 촬영하기 용이하게 구성되어 있다. 또한 그는 국가 안전의 여러 기관들 사이의 정치적 게임에 대해서 아주 깊숙하게까지 잘 알고 있다. (장-미셸 발랑탱, 『헐리우드, 펜타곤, 워싱턴—세계 전략의 세 가지 주체』, Autrement 출판사, 2003)

"김 변호사님, 여긴 서울입니다. 당선자께서 통상 관련 브리핑을 받고 싶어 하시는데, 와 주실 수 있겠습니까? …통상 분야는 김 변호사님이 가장 정확하게 보고할 수 있을 것 같은데, 꼭 와서 브리핑을 해 주셔야 할 것 같습니다." (김현종, 『김현종, 한미 FTA를 말하다—대한민국을 위해 최전방에 설 젊은이들에게』, 홍성사, 2010)

…어려움 속에서도 마침내 전 과목 만점으로 미국의 경영 대학교를 수석 졸업하는 영광을 얻어 거친 풍랑으로 지친 가족에게 큰 기쁨을 안겨다 준 사랑하는 딸에게 진심으로 감사한다. (민동석, 『대한민국에서 공직자로 산다는 것—협상대표는 동네북인가』, 나남, 2010)

아들라이 스티븐슨이라는 사람이 있다. 인류가 가장 심각한 멸망 위기에 빠졌던 적을 역사적으로 딱 한 번 거론하자면, 1962년 쿠바 위기 때이다. 당시 케네디 주변에 있던 인물들이 어떻게 핵

전쟁의 위험으로부터 벗어났는가를 그린 영화가 〈D-13〉이다. 국방부 장관이었던 맥나마라는 약간 우습게 나왔고, 케빈 코스트너가 연기한 케네스 오도넬은 그때까지 전혀 알지 못했던 사람인데 나에게는 일종의 롤 모델 같은 인물이 되었다. 영화에는 한물간 노정치인이 한 명 나오는데, 그가 UN 회의에서 결정적으로 이 위기를 벗어나는 계기를 마련하게 된다. 내가 가장 존경하는 UN 대사가 바로 이 아들라이 스티븐슨이다.

그의 아버지는 부통령이었지만, 정치인으로서 아들라이 스티븐슨은 아이젠하워의 전성기에 대선에 두 번 도전하여 두 번 다 떨어졌다. 마지막 선거에서는 케네디라는 세기의 정치인이 등장하여 대선에 나가 보지도 못했다. 그러나 그를 역사 속에 각인시킨 것은, 쿠바 위기라는 절체절명의 순간 UN에서 소련 대사와 함께 대화 창구를 지속시켜 놓았던 사건이었다. 그는 현직 UN 대사로서 65세에 런던에서 사망하였다. 나에게 UN 대사라는 것은 이런 이미지로 남아 있다. 케네디가 미국의 대통령이었다면, 민주당 내에서 그의 라이벌이었던 아들라이 스티븐슨은 세계의 UN 대사였던 셈이다.

변호사 김현종 씨에게 내가 충격받은 것은 fta 때문은 아니었다. 한국을 대표하는 UN 대사였던 그가 삼성전자의 해외 법무 사장으로 갔다는 소식을 들었을 때 나는 거의 패닉 상태에 이를 만큼 충격을 받았다. 한국의 UN 대사를 지낸 사람이 후속 자리로 사기업, 그것도 여러 가지로 비판을 받고 있는 삼성전자에 간다는 것은 나의 가치관을 혼란스럽게 만들었다.

그래서 그의 자서전을 읽어 보았다. 그는 한국의 통상교섭본부장으로 일했던 것을 상당히 자랑스럽게 생각하고, 한미 fta 협상을 이끌어 간 것에 대해서도 꽤나 자부심을 느끼는 것 같다. 그리고 일부의 반대에도 불구하고 통상 전문가인 자신이 UN 대사가 된 것도 영광으로 생각하는 듯했다. 그가 UN 대사의 의미를 몰랐던 건 아닌 듯싶다.

그의 자서전을 덮고 나서, 나라면 어떻게 했을까 생각해 보았다. 글쎄, 사람마다 가치관이 다르기는 하지만, 만약 삼성전자에 꼭 가야 한다고 하더라도 자신이 최고 걸작으로 생각하는 한미 fta가 국회에서 통과되어 비준되는 것까지는 보고 갔을 것 같다. 통상교섭본부장은 장관급이고, UN 대사는 직제상으로는 장관보다 높다고 하는, 외교부에만 있는 특1급이 가는 자리이다. 미국에서도 마찬가지로, 아들라이 스티븐슨의 경우처럼 부통령 혹은 대선 후보급 같은 존경받는 고위직이 가는 자리이다. 한 나라의 UN 대사가 되었으면, 변호사로서 혹은 공무원으로서 영광을 누릴 만큼 누린 게 아닌가 싶다.

많은 사람이 한미 fta에는 기본적으로 삼성의 의도가 담겼다고 의심한다. 국회 비준 이후에 한미 fta는 삼성 작품이라고 생각하는 경우가 많다. 게다가 참여정부의 삼성 연결책이라고 의심받는 이광재 같은 사람이 여전히 fta에 찬성하고 있다. 이런 상황에서, 협상을 만들어 낸 당사자가 부리나케 삼성에 간다는 것 자체가 문제인 것이다.

영웅은 돌아올 수 없는 다리를 건너갔고, 그를 fta로 인도한 책사는 삼성에 가 있다. 그 상태에서 한미 fta는 국회에서 날치기로 통과되었다. 게다가 이걸 강행하자고 우기는 사람은 영웅을 꺾었던 안티 히어로, 지지율 20%대의 별 인기 없는 대통령, 그야말로 비극적 서사 구조를 완벽하게 갖추었다. 『삼국지』에서 육손이 관우를 잡을 때, 관우 밑의 수하 중 상당수가 육손에게 매수되어 전투가 벌어지는 걸 알리는 봉화를 끊어 버렸다. 결국 이 전투의 패배로 『삼국지』의 최대 영웅인 관우가 죽게 된다. 이 죽음이 하도 억울해서 관우는 우리나라에서도 모실 정도의 신이 되었다. 영웅과 대통령과 책사, 이 구조는 그 자체만으로 소설이나 영화의 소재가 될 정도로 기막힌 것이다.

당시 농업 부문 협상을 맡기 위해서 외교부에서 농림수산식품부로 파견된 민동석은 더하다. 외교관으로 살아온 그에게는 미안한 얘기이지만, 책 서문 앞의 헌사에서 자기 딸이 미국의 경영 대학교를 수석 졸업한 것이 가장 큰 행복이라고 강조한 것을 보면서 고소를 금치 못했다.

자신이 뽑은 책 제목인 '대한민국에서 공직자로 산다는 것'과 이 헌사가 어울린다고 생각했을까? 독자들은 이 헌사를 보고 무슨 생각을 했을까? 자기 자식이 외국 유학을 갈 수도 있고, 외국에서 대학을 나올 수도 있다. 그러나 그게 자신의 가장 큰 행복이라고 책 맨 앞에 당당하게 밝히는 게 과연 책의 의도에 부합하는가? 이 한 문장으로 그는 이미 한국의 공직자가 아니라 미국 대학의 학부모인 것이 더 자랑스러운 사람이 되었다. 무의식마저도 친미라고 한들 반박할 여지가 없으리라.

이런 게 바로 불신을 조장하는 출발점이다. 김현종? 인간으로서는 모르겠지만, 장관으로서는 못 믿겠다. 그의 삶을 들여다보면 그는 한국의 장관직과 UN 대사를 자신이 진짜 해 보고 싶은 일을 위한 징검다리로 이해하지 않았나 싶다. UN 대사가 그에게는 단지 '커리어'에 불과한 것으로 보인다. WTO의 P5(UN 직급으로 과장과 국장 사이 정도)는 낮은 자리라고 할 수는 없지만, 신생 독립국이 아니면 장관으로 직행하기에 사실상 높은 직급은 아니다. WTO의 P5가 삼성전자 사장으로 가기 위해 장관직과 UN 대사를 징검다리로 사용하였고, 그러기 위해서 노무현 대통령 등 그를 믿어 준 참여정부의 지도자들을 활용하지 않았다고 증명할 수 있을까? 민동석이 자신은 공직자이고 애국자라고 생각할지 모르지만, 그가 우리에게 꺼내 보여 준 속마음을 보면서, 그가 미국이 아니라 한국에 충성하는 공직자라고 생각하기는 쉽지 않다.

물론 나의 이러한 의심은 사소한 것이고, 은밀한 것이며, 내면적인 것이다. 그러나 외교든 협상이든 통상이든, 모두 사람이 하는 일이다. 인간의 삶에서 '누가 하느냐?', 그게 중요하지 않겠는가?

한미 fta를 추진하는 사람들의 생각을 알고 싶어서 김현종과 민동석의 책을 읽어 봤는데 솔직히 믿음은 안 갔다.

두 권의 책을 덮고 나니 머릿속에 영화의 한 장면이 떠올랐다. 미국 슈퍼볼 경기장에서 CIA 국장은 죽고 대통령은 구사일생으로 살아 나오는 핵폭발 장면, 우파 중의 우파라고 하는 톰 클랜시의 원작을 영화로 만든 〈섬 오브 올 피어즈〉(Sum of All Fears, 2002)의 한 장면이다. 나는 김현종이라는 사람이 우리에게 어쩌면 경기장 하나는 충분히 날릴 만한 구형 핵폭탄을 던져 놓은 것이고, 그게 언젠가는 터질지도 모른다는 예감이 들었다.

'모든 공포의 총합', 이게 김현종과 민동석에게서 느꼈던 생각이다. 그 사람들이 무서운 게 아니라, 그들이 캐리어 혹은 삶의 장식품으로 생각했던 그 일이 무서운 거다. 그들은 자신들이 무슨 일을 했는지 깊이 생각하거나 책임질 만한 사람들이 아니다. 한미 fta 협상 이후 민주당의 10년 집권이 끝났고, 통치자는 절벽에서 몸을 던졌다. 그러면 그걸로 모든 위험은 사라진 걸까? 솔직히 나는 우리에게 올 미래가 더 무섭다. 김현종은 그런 건 다 이겨 내고 결국 극복할 수 있다고 거듭 말하지만, 그런 믿음은커녕 두려움만 더 생긴다.

한미 fta는 멕시코와 캐나다, 호주에서도 핵폭탄 같은 것으로 여겨졌다. 스위스와 일본도 마찬가지였다. 그렇게 부강한 나라들도 핵폭탄을 다루듯이 조심스럽게 한미 fta를 관찰하고 처리하였다. 내가 이해한 범주에서 보자면, 우리에게 한미 fta는 핵폭탄급이다. 그러나 김현종에게는 한미 fta가 자신의 성공을 위한 징검다리에 불과했던 모양이다.

노무현 대통령이나 이명박 대통령이나 박근혜는 그걸 상대방을 향해서 쏘면 된다고 생각하는 것 같다. 근데 이게 오히려 서울 한복판에서 터질 것 같아 무섭다. 아니, 서울이면 차라리 낫다. 결국은 이게 돌고 돌아, 폭탄 돌리기로 부동산 거품을 키울 대로 키운 해운대나 송도에서 터지면 어떻게 될까? 어디에서 터지든, 한국의 지역 경제 중 취약한 곳이 디폴트 위기로 들어가는 건 마찬가지다. 한국은 무리해서 OECD에 가입하고 얼마 지나지 않아 IMF 경제 위기를 맞았다. 그 역사가 다시 한 번 반복되는 것인가?

10월 30일까지 해 온나!

소정방 : (중국어)

김인문 : 젤로 중요한 것은 날짠데, 7월 12일까지 온나.

김유신 : 느그는 바다로 뱃놀이 가드끼 가고, 우리는 땅으로 백제
군들하고 사워 가며, 13만이나 되는 느그들 처먹을 살 가지고 오라
꼬? 내가 살 배달꾼이가.

소정방 : (중국어)

김인문 : 7월 11일까지 온나.

김유신 : 소정방이 니 지금 짱난하나, 택두 없다.

소정방 : (중국어)

김인문 : 7월 10일까지 온나.

김유신 : 뭐라꼬, 이 자슥이 증말.

(김유신, 소정방에게 덤벼든다.)

소정방 : (중국어로) 우린 보급 부대 없이 전투 병력만 왔다. 이
작전은 신라 왕 김춘추가 황제에게 애걸해 정한 것이다. 당장 김춘
추에게 전하라. 배를 돌려 돌아가겠노라고!

김인문 : 배 돌려 그냥 가까? 와 보는데, 통역 다 해꾸마.

(영화 〈황산벌〉 중, 소정방과 김유신의 대화, 통역은 중국에 볼모
로 간 신라 왕자 김인문)

이명박 정권 출범 초기에 중국 외교가에서는 이번 정권이 외교
때문에 망할 거라는 얘기가 파다했다. 물론 지난 정권도 외교를
그렇게 잘한 편은 아닌데, 이번 정권은 낙제점에 가까웠다. 서울
에서 열렸던 G20 회의는 과장된 경제적 효과는 물론이고, 결국
유죄를 받게 한 어느 예술가의 포스터 사건으로 더욱 우습게 되었
다. 뭐, 그거야 그렇다 치고.

그다음 G20 회의는 11월 3일, 프랑스 칸에서 열렸다. 청와대가
처음 국회에 한미 fta를 통과시키라고 지정한 날짜가 바로 이날이
었고, 여기에 사람들이 반발하니까 다시 10월 30일로 비준 날짜
를 못 박았다. 11월 1일은 G20 정상 회담 등 해외 순방을 위해서
출발해야 하는 날이었다. 그리고 미국 측의 한미 fta 이행 법안에
는 2012년 1월 1일부터 한미 fta가 효력을 발휘하는 것으로 되어

있다. 역산하면 사실 이때 통과되어야 미국과 했던 '그 어떤' 밀약이 자연스럽게 해소되는 것이다.

이 일련의 과정을 보고 있자니 영화 〈황산벌〉에서 신라 장수 김유신과 당나라 장수 소정방이 기벌포 항구에서 신라군과 당나라군이 합류하기로 한 날짜에 대해 협상하는 장면이 떠올랐다. 김유신이 고분고분 말을 듣지 않으니까, 소정방은 목표 날짜를 오히려 앞당겼다. 그 중간에는 계백의 5천 결사대가 지키게 될 황산벌이 있고.

이명박 대통령이 한나라당에 내린 국회 비준 날짜에 대한 지시를 보면서, "소정방이 니 지금 짱난하나", 이 대사가 탁 머리를 치고 지나갔다. 대통령의 심정도 충분히 이해할 만하다. 지난 미국 정상 방문 때 이것저것 날짜도 협의했고, 어느 정도 통과 시점도 약속했다. 그래서 미국 측 이행 법안에는 발효일이 2012년 1월 1일로 못 박혀 있다. 게다가 통관 기구들에는 그때부터 한미 무역에서 관세가 없어진다고 안내문까지 이미 발송했다는 것이다.

한미 fta는 미국, 특히 오바마 입장에서는 연설문에 몇 번 집어넣고, 자신의 업적으로 생색낼 만한 단기적 성과이기는 하지만, 우리한테는 목숨이 왔다 갔다 하는 중대 사안이다. 그걸 단순히 G20 때 만나게 될 정상 회담에서의 선물 정도로 생각하는 건 너무 심한 거 아닌가 싶다.

전시와 같은 위급한 상황이라면 국내 절차에서의 모양내기 같은 것들을 생략하고 갈 수도 있겠지만, 급한 것은 청와대의 입장이고 대통령의 입장이지, 이렇게 서둘러서 한미 fta를 발효시켜야 할 만큼 경제적 이해가 걸린 경제적 주체가 한국에는 없다. 불편하고 어렵게 될 사람들, 즉 이것을 막아야 할 사람들은 급박하지만 정작 혜택을 받게 될 주체 중에서 이토록 시급하게 통과시켜야 할 사람은 없다.

한미 fta가 처음부터 이렇게 미국과의 외교적인 이유만으로 출발한 것은 아니다.

원래 혼자 결정하는 일이 없는데 오늘 김현종 본부장으로부터 한미 fta에 대해 보고를 받고 혼자 결정했습니다. 1년 넘게 지속적으로 경제 분석, 스크린 쿼터와 쇠고기 등에 대한 보고들을 받으며 그 중요성을 잘 알고 있습니다. (『김현종, 한미 FTA를 말하다—대한민국을 위해 최전방에 설 젊은이들에게』, 92쪽)

김현종에 따르면, 한미 fta 협상 추진에 대해 대통령의 결정이 내려진 것은 2005년 9월 멕시코의 어느 호텔 스위트룸이었다. 물론 이런 중요한 일이 외교부가 독대하기 편한 외국에서 진행되는 것은 선진국다운 행정 절차는 아니다. 그렇지만 한 가지 인정해 줄 수 있는 것은, 그렇다고 하더라도 외교적인 일로 한미 fta의 출발이 결정된 것은 아니라는 점이다. 생각이 좀 달랐고, 정상적인 국정과는 다른 방식이더라도 경제적 논의의 연장선상에서 한미 fta가 출발한 것은 맞다고 할 수 있다.

그러나 그것을 매듭짓는 장면은 진짜로 외교적이었고, 그것도 한미 fta라는 매우 중요하고 본문만 700쪽에 달하는 덩치 큰 협정에 어울리지 않게 G20, 국빈 순방, 에이펙 등 알맹이 없는 부차적인 외교 행사의 부산물로 처리되었다는 걸 부정하기 어렵다.

물론 노무현 대통령도, 지금의 대통령도, 그리고 직권 상정에 의한 날치기를 시도하는 국회의원도 모두 민주주의 절차에 의해서 당선된 사람들이다. 협상과 보고 과정에서 중간 중간 문제점들이 있기도 하지만, 날치기라고 해서 비준된 조약의 효력에 하자가 생기는 것은 아니다. 어쨌든 한미 fta 날치기는 18대 국회에서 다섯 번째 날치기이고, 외국과 체결하는 조약의 경우는 헌정 사상 최초의 날치기이다.

노무현 정부의 한미 fta 추진 1
—음모론

    fta라는 말은 여전히 많은 사람에게 익숙지 않다. 영화 〈상사부일체〉에서 큰형님인 손창민이 '한미 에프타'라고 말하는 장면이 나온다. 그러자 대가리인 박상면이 '에프티에이'라고 발음을 고쳐 준다. 이 단어가 '에프타' 정도로만 쉬웠으면 얼마나 좋았을까? 사실 〈상사부일체〉를 따라서 그냥 '에프타'라고 부르고 싶기도 했다. 그 대신에 트위터 등 SNS로 대화를 나누는 사람들을 위해서 대문자 FTA를 소문자 fta로 바꾸어 표기하기로 했다. 실제로 손창민이나 이성재에게 한미 fta를 어떻게 설명할 수 있을까? 다가서거나 표현하기 쉽게 만들기, 그런 게 훈민정음 창제의 의미 가운데 하나였을 것이다. 반면에 어색하거나 까다롭게 만들기, 그런 게 지배자들이 늘상 쓰던 수법 아니겠는가.

　오세훈 시장 시절에 서울시 청사에는 영어만 사용하는 카페 '파인트리'가 있었다. 박원순 시장이 들어선 뒤에 이 카페는 북 카페인 '뜨락'으로 바뀌었다. 영어만 써야 한다는 카페 운영 방침 대신, 공정 무역 커피와 장애인들이 만드는 머핀이 팔리기 시작했다. 상징적으로 얘기해 본다면, 한미 fta는 파인트리에 속한 것이고, 뜨락에 속한 것은 아직 오지 않았다고 말할 수 있다. 물론 공정 무역과 같은 얘기가 국제 무역 차원에서 조금씩 논의가 되고 있고, 자본의 자유로운 이용을 규제하자는 국경세나 토빈세 같은 얘기도 수년 전에 비하면 그 필요성이 훨씬 광범위하게 인정되고 있다. 그렇지만 아직은 전환기이다.

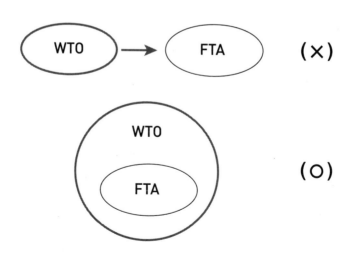

WTO라는 단어가 있고, fta라는 단어가 있다. 일반인에게는 둘 다 어려운 용어일 것이다. 한 가지만 먼저 알려 드린다면, WTO 와 fta는 동급이 아니라 WTO 내에 fta가 있다는 사실이다.

경제학 지식이 조금이라도 있다면 절대로 헷갈리지 않을 일인데, WTO라는 국제 무역 체제가 있고 그다음에 fta가 등장해서 새로운 체제로 가는 게 아니다. WTO는 그냥 있는 거고, 그다음에 이걸 보완할 다음 체제에 대한 논의가 카타르의 도하에서 시작되었다. 그래서 도하 라운드, 즉 DDA(Doha Development Agenda)라고 부르는 것이다. 그러니까 예정대로라면 WTO는 fta로 대체되는 것이 아니라 DDA로 대체되는 것이다. 그렇다면 fta라는 건 도대체 뭐냐? 집합으로 이해하면, fta는 WTO의 부분 집합이다. "이제는 한미 fta가 대세입니다"라는 광고를 본 적이 있는가? 이 광고는, 기본적으로 WTO와 fta는 동급의 집합이고, fta가 WTO를 대체하게 된다는 착각 위에 서 있는 구호이며, 또 그런 착각을 더욱 강화시킨다. 이게 이해가 되면, 특정 국가와 fta를 맺는 게 어떤 틀 안으로 들어가는 것이고, 또한 fta를 종료한다는 것이 어떤 의미인지 이해하기가 쉽다.

fta(Free Trade Agreement)라는 것은 기본적으로 세계 무역 체제 내의 하위 체제이다. WTO 가입국이 자기들끼리 관세를 낮추는 별도의 협정을 맺을 수 있는 가능성을 열어 놓고 있는 것이다.

a. 관세 동맹 또는 관세 동맹의 형성을 위한 잠정 협정과 관련, 해당 관세 동맹의 창설 또는 해당 잠정 협정 체결 시에 동 동맹의 구성국 또는 동 협정의 당사국이 아닌 회원국과의 무역에 적용되는 관세 및 기타의 상업적 제한은 해당 관세 동맹의 형성 또는 해당 잠정 협정의 체결 전 이들 지역 내에서 적용되어 온 관세 또는 기타의 상업적 제한의 일반적 수준보다 더 높거나 더 규제적이어서는 안 된다. (GATT, 제24조 제5항)

관세 동맹, 즉 마음에 맞는 특정 국가들끼리 관세를 낮추거나 없애는 세부적 조약이 이렇게 가능해졌다. EU나 나프타 같은 경제 지역을 만드는 가장 기본적인 작동 장치가 바로 이런 관세 동맹이다. 관세를 없애면 그 나라들끼리는 무역이 촉진되어 수입과 수출이 동시에 늘어나는 효과를 나타낸다. 정부는 관세 수입이 줄어드는 대신 무역이 증가하니까, 무역 증가에 따른 경제 진작 효과가 더 큰지 관세 수입이 줄어드는 게 더 영향이 큰지 판단해야 한다.

관세가 없어지면 소비자들은 물론 좋아한다. 외국 물건을 싸게 살 수 있으니까. EU나 미국은 관세율을 낮게 유지하고 있기 때문에 그 자체의 관세 인하 효과가 크지는 않다. 개도국의 경우는 일반 관세율인 8% 수준을 유지하는데, 소비자들은 그만큼 외국산 물건을 싸게 살 수 있다. 수출업자와 수입업자들도 좋아진다. 수입이든 수출이든 무역이 늘어나면 이 사람들의 영업 자체가 늘어난다. 수입 유통에 독점이나 과점이 있는 경우, 혹은 관세 하락의 상당 부분을 이익으로 흡수할 수 있는 경우 수입업자의 이익은 상당히 높아진다.

그렇지만 모든 국민을 소비자라고만 볼 수는 없고, 대부분은 노동자이기도 하다. 수출이 늘어나는 업종의 노동자들은 기본적으로 혜택을 보게 된다. 수입의 경우 단순 수입업자는 이익을 볼 수 있지만, 경쟁 중인 국내 다른 업종의 경우는 실업이 증가할 수도 있다.

일반적인 fta에 투자 관련 조항을 집어넣으면 강화된 fta 혹은 한국식 표현대로 'fta+알파'가 된다. 정부의 번역대로라면 '자유 무역 협정'인데, 이때의 자유 무역은 WTO 내의 하위 집합이다. 여기에 투자 협정을 얹어 알파라고 부르는데, 투자는 무역과는 약간 다른 범주의 개념이다.

한미 fta를 무역이라는 관점으로만 본다면 상품 분야에서는 적지 않은 손해를, 서비스·무역 분야에서는 엄청난 손해를 감수하게 되는 일이다. 일부 상품 분야에서는 한국이 어느 정도 경쟁력을 갖춘 자동차 같은 업종들이 있지만, 서비스 분야는 미국이 자타 공인 세계 최강이다.

미국과 맞붙으면 농업은 무조건 깨지고, 서비스도 무조건 깨진다. 의료 체계와 약값 같은 데에서 일반인들의 걱정이 많아지는 것은 괜한 기우가 아니다. 협상이 전개될 즈음 자동차 분야에서는 어쨌든 서류상으로 이익을 좀 얻을 것이라는 전망이 많았다. 그러나 그 이후 현대자동차의 경우에는 현지화 전략이 계속해서 강화되었다. 생산지가 미국이면 어차피 관세와는 상관없으니, 현지화 추세는 앞으로도 급격한 반전이 없는 한 더더욱 강화될 것이다.

그렇다면 도대체 우리는 한미 fta에서 무엇을 얻는 것인가?

EU와의 fta에서 지난 몇 달 동안 무역 역조, 즉 수출보다 수입이 많아지는 것을 이미 목격했다. 관세율이 낮은 선진국과 관세율이 높은 개도국, 즉 한국이 선진국과 fta를 체결하면 기본적으로는 EU와의 관계에서 이미 본 것과 같은 현상이 벌어진다. 무역이 무조건 좋은 것이라는 종교적 믿음이 아니라면, WTO에서 상당한 혜택을 누릴 수 있는 한국의 상황에서 미국과의 관세 동맹이 그 자체로 이익을 줄 일은 별로 없다. 이건 상식의 영역이다. 그러한 상식을 깨기 위해서는 신념이나 과학이 필요하다. 그러나 과학의 영역에서 추가적으로 우리에게 제시된 것은 없었다. 이 얘기는 다음 장에서 자세히 다룰 것이다. 그렇다면 신념?

자, 이 시점에서 근본적인 질문을 해 보자. 왜 노무현 대통령은 상식적으로 손해가 명백한 한미 fta를 추진하였을까? 이것만큼 간절하게 대통령의 대답을 듣고 싶었던 적이 또 한 번 있었다. 박정희 유고 이후 대통령직에 올랐던 최규하에게서 5·18의 진실과

그가 대통령을 하야하게 된 경위를 듣고 싶었다. 그렇지만 당사자에게 듣기는 불가능해졌다. 한미 fta의 경우도 마찬가지가 되었다. 측근에 의한 몇 가지 서로 다른 버전의 해석들이 가능하겠지만, 본인의 진짜 생각은 알 수 없게 되었다.

진실, 그것은 장미의 이름과 같은 것이다.

어떤 경제적 현상이 벌어질 때, 가장 보편적인 방식은 음모론 혹은 내인론으로 해석하는 것이다. IMF 경제 위기의 예를 들어보자. 헤지펀드들의 작전에 의해서 외환 위기가 닥쳤다고 하는 것은 전형적인 음모론이다. 반면에 한국 경제의 내적 모순들이 누적되었다가 동남아의 금융 위기 등 국제적 조건의 변화에 의해서 터져나온 것이라고 설명하는 건 전형적인 내인론, 즉 시스템 내부 요소로 설명하는 것이다.

음모론은 직관적이고 일관되게 설명할 수 있다는 장점이 있어서 사회 · 정치 · 경제 분야에서 선호하는 이론이다. 가장 흔한 음모론으로는 모든 것을 자본의 음모로 간주하는 '자본론' 버전과 프리메이슨 같은 조직이 있다. 음모론은 간결하고 인과론적으로 딱딱 들어맞는 이론틀을 제시하는 경우가 많다. 그리고 그게 단순히 음모가 아니라 실체적 현실인 경우도 많다. MB의 방송 장악의 경우, 여기에 복잡한 사회 과학적 이론틀이나 분석 과정을 대입하는 것보다는 그냥 방송을 장악해서 정권을 공고히 하려고 했다고 설명하는 게 훨씬 단순하기도 하고, 실체적 진실에도 더 가까울 수 있다.

나는 학자로서, 가급적이면 내부의 원인으로 사건을 설명하는 내인론 쪽을 선호한다. 음모론을 남용하다 보면 구조에 대한 분석이 아예 필요 없어진다. 게다가 내부에서 선택할 수 있는 여지가 없어지고 모든 것이 더 큰 힘 혹은 외부적 요소로 치환되어 버리기 때문에 결국 우리가 할 수 있는 일은 아무것도 없다는 결론이 나오는 경우가 많다. 가급적이면 경제를 내부적 요소로 설명하려고 하는 게 나의 기본 접근 방식이다.

노무현 정부는 왜 한미 fta를 추진했을까? 주어진 정보만 가지고 이 사건을 음모론의 시각으로 구성해 보자. 생각보다는 쉽다.

김현종의 책은 제네바의 WTO P5 자리에 있을 때 대통령 인수위원회의 전화를 받는 장면으로 시작한다. 당연히 이 장면에서 두 가지 질문이 따라 나오게 된다.

첫째, 누가 인수위에 김현종을 추천하였을까?

둘째, 인수위 시절에 fta 전략은 어디에서 혹은 누구로부터 시작된 것일까?

김현종의 책에도 이 부분에 대한 설명은 안 나온다. 자신이 누구의 추천을 받았고, 어떤 상황에서 대통령 당선자에게 통상에 관한 브리핑을 하게 되었는지 알았을 것이다. 알고도 안 썼을 것이다. 만약 몰랐다면 희한한 사람인 거고. 자신한테 전화한 사람과 자신을 추천한 사람 정도는 알게 되지 않겠는가?

노무현 대통령 시절, 2만 달러 경제와 fta, 금융 허브론 등 참여 정부에서 추진한 주요 국정 과제들은 삼성에서 건의한 것이고, 이와 같은 삼성발 보고서와 정책 과제들을 노무현 정부에 전달한 사람은 이광재 전 강원도 지사로 알려져 있다. 하지만 이광재가 직접 김현종을 추천하지는 않은 것 같다.

김현종을 인수위에 추천한 사람은 전 정권의 실세였던 전라도계 정치인이라는 설과 민변이라는 설로 나뉜다. 김현종이 홍익대 교수 시절에 민변과 약간의 활동을 같이 하였는데, 그런 인연으로 인수위에 추천되었다는 설이 있다.

이건희의 '샌드위치 위기론'과 결합해서 한미 fta를 추진한 동력 중 하나는 당시 삼성에서 강력하게 주장하던 금융 허브론이었다. 이런 흐름 속에서 삼성생명이 상장되었다. 여기에 삼성의 의료 부문 강화 정책이나 물 민영화 주장 등이 결합되면, 결과야 어떻게 되든 삼성이 한미 fta를 그룹 전략으로 보았고, 그래서 참여정부에 직간접적으로 한미 fta 추진을 종용했다는 정황 정도는 추정해 볼 수 있다.

그런 데다 협상을 건의하고 추진한 당사자가 삼성전자의 해외 법무 사장으로 갔으니, 당사자나 삼성 혹은 주변 인사들이 적극적으로 해명하지 않는 이상 '삼성이 한 거'라는 음모론은 그 자체로 완결된 고리를 갖는다. 단, 이 음모론이 성립되려면 노무현 대통령이 김현종과 삼성에 속았다는 전제가 필요하다. 물론 입증할 수는 없지만 말이다.

이 시점에서, 노무현 대통령의 마지막 글을 살펴볼 필요가 있다. 2008년 리먼 브러더스가 파산하면서 글로벌 금융 위기가 터진 이후 작성한 글이다.

두 번째 문제입니다.

우리의 입장에서도 협정의 내용을 재검토해 볼 필요가 있습니다.

한미 간 협정을 체결한 후에 세계적인 금융 위기가 발생했습니다. 우리 경제와 금융 제도 전반에 관한 점검이 필요한 시기입니다. 국제적으로도 금융 제도와 질서를 재편해야 한다는 논의가 일어나고 있습니다.

아마 그냥 넘어가지는 않을 것입니다.

미국도 그리고 다른 나라도 상당히 많은 변화가 있을 것입니다. 한미 fta 안에도 해당되는 내용이 있는지 점검해 보아야 할 것입니다. 그리고 고쳐야 할 필요가 있는 것은 고쳐야 할 것입니다.

다행히 금융 제도 부분에 그런 것이 없다 할지라도 우리도 고치고 지난번 협상에서 우리의 입장을 관철하지 못하여 아쉬운 것들이 있을 것입니다.

어차피 재협상 없이는 발효되기 어려운 협정입니다. 폐기해 버릴 생각이 아니라면 비준을 서두를 것이 아니라 재협상을 철저히 준비하여 협상을 유리하게 이끌어 나가야 할 것입니다. 폐기할 생각이라면 비준 같은 것 하지 말고 폐기하는 것이 옳을 것입니다.

한미 fta는 당장의 경기와는 관계가 없습니다. 당장 발효하는 것보다 5년, 10년, 15년 기간이 지나야 효력이 생기는 것이 더 많습니다. 그리고 비준만 해도 미국 쪽의 사정을 보면 어차피 상당한 시간은 걸리게 되어 있습니다. 그러므로 비준을 서두르는 것이 위기를 극복하기 위한 것이라고 말해서는 안 됩니다.

진정 위기 극복을 위한다면, 당장 결판이 나지도 않을 일을 가지고 국회를 극한 대결로 몰고 가는 그런 일은 하지 않아야 할 것입니다.

이 글을 쓰면서 걱정이 많습니다.

정치적인 이유로 한미 fta에 대한 입장을 번복했다고 말하는 사람들이 있을 것입니다.

지난날의 잘못을 반성하고 양심선언을 했다고 말하는 사람들도 있을 것입니다.

저의 입장은 그 어느 것도 아닙니다. 전략적으로 대응해야 한다는 것입니다. 그리고 상황이 변했다는 것입니다. 모든 정책은 상황이 변화하면 변화한 상황에서 다시 검토해야 한다는 것입니다. 이렇게 하는 것이 실용주의이고, 국익 외교입니다. 이것이 원칙입니다.

(노무현 퇴임 후, 〈민주주의 2.0〉에 올린 한미 fta 관련 글 중 일부)

이 글에는 2008년 9월 리먼 브러더스의 파산 이후 미국 쪽의 경제 사정이 바뀌었으므로 여기에 따른 변화가 한미 fta 내에도 필요하다면 반영되어야 한다는 것이고, 이런 조치를 적절히 취할 수 없으면 재협상을 위해서 비준을 서두르지 말아야 한다는 내용이 서술되어 있다. 좁게 보면 '신금융 상품'이나 보험 조항 같은 것이 재검토되어야 한다는 의미로 볼 수 있고, 넓게 보면 2008년 글로벌 금융 위기 이후에 한미 fta에 대한 전반적인 점검이 필요하다는 포괄적 재검토를 주문한 것이라고 볼 수도 있다.

그 후에 한국 측에서 재검토가 이루어지지는 않았다. 재협상이 있기는 했지만, 그건 미국 자동차 노조 등의 우려를 미국 정부가 반영하는 차원에서 진행된 것이다. 우리는 미국이 원하는 것들을 순순히 열어 주었고, 그 대신 미국 쪽 국회의 조기 비준을 요구하는 선에서 재협상은 끝났다.

지금 와서 돌아보면, 대통령 노무현에게 한미 fta에 대한 정치적 대가는 자못 컸다. 그의 정치적 지지 기반의 상당 부분이 무너졌고, 인간적으로 노무현에게 애정을 거두지 않은 사람들도 한미 fta는 지지하지 않은 경우가 많았다. 2007년 대선은 무관심 속에서 치러졌고, 한나라당은 역대 최고의 표차로 이명박을 당선시켰다.

당시 국회 fta 특위 위원장을 지낸 송영길 인천 시장 같은 사람은 매우 적극적으로 찬성 의견을 나타냈는데, 노무현의 측근 인사들을 한미 fta 찬성으로 이끈 것은 개성공단 문제였다. 그래도 선뜻 끄덕거리지 않는 사람들을 위해서 준비한 외교부의 카드가 '쌀은 막았다'이다. 약간 사기성이 있다. 사실 쌀은 WTO 개방 일정 내에서도 어차피 관세화로 가도록 되어 있었기 때문에 한미 fta에서 단기적으로 쌀 개방을 제외했다는 사실 자체는 큰 의미가 없다. 게다가 개성공단은 한국이라는 경제권의 향방의 규모로 볼 때 워낙 작은 일이라서 이것 때문에 찬성하거나 반대한다는 것은 말이 안 된다.

노무현 정부는 원래 정치적 기반이 약했다. 게다가 전문가의 지지는 더더욱 약했다. DJ에게는 오랫동안 그를 말없이 지지하면서 음으로 양으로 도와주던 전문가들이 생각보다 많았다. 대학이나 학계뿐만이 아니라 정부 내에도, 그리고 꼭 호남 출신이 아니더라도 DJ를 안쓰럽게 생각하는 사람들이 많았다. 노무현에게는 외교나 통상에 밝은 사람이 거의 없었다. 이명박 정권에서 외부 발탁으로 차관 등 고위직에 올랐던 사람들도 과거 노무현의 인수위원회에 줄을 대고 있었고, 그런 사람들도 노무현 쪽 전문가 행세를 했다.

샘플 숫자가 적어서 일반화하기는 어렵지만, 대선 후보에게 줄을 선 전문가 규모로만 보면 박근혜>이명박>DJ>노무현의 순서일 것이다.

이런 상황에서 삼성이 그려 준 거시 경제 정책과 WTO에 근무

하는 P5 레벨의 변호사가 대통령과 한국을 움직인 것이다. 이게 바로 한미 fta 음모론의 기본 축이다. 미국의 음모론, 이건 최소한 한미 fta의 경우는 아니다. 물론 기왕 길이 열린 거, 최대한 가지고 간다는 것은 결과론이고, 미국을 끌어다 테이블에 앉힌 건 김현종이었다.

DJ 시절, BIT(Bilateral-Investment Treaty)라는 양국의 투자 협정에 대한 협상이 IMF 경제 위기 직후 미국의 요청으로 추진되기는 했다. 그러나 후에 한미 fta 4대 선결 조건으로 불리게 되는 스크린 쿼터 축소와 미국산 쇠고기 수입 등의 조건을 받아들이기 어렵다는 이유로 대통령이 협상을 중지시켰다. 한미 fta는 그때 중지된 협상을, DJ 시절에 거부했던 조건들을 선결적으로 내어 주면서 협상이 열렸다. 미국 입장에서야 협상이 성사되든 말든 이미 얻을 것은 충분히 얻은 상황이 되었다. '다다익선', 조금이라도 더 얻으면 좋겠지만, 그렇지 않더라도 이미 이익이 된 협상이었다.

그러므로 미국과 한국 사이의 줄다리기를 놓고 '주고받기'라고 표현하는 것은 문제가 있다. 미국은 이미 충분히 받았다고 생각해서 협상을 시작했고, 한국은 내어 준 것보다 더 많이 얻어야 균형이 잡히는 상황이었다.

이런 상황이니, 미국 음모론은 처음부터 기각되는 명제이고, 남는 건 삼성밖에 없다. 한국에는 여권이든 야권이든 이만큼 큰 스케일로 국제적 사업을 벌일 수 있는 또 다른 집단이 없기 때문이다. 그게 아니라면 김현종이라는 한 자연인에게 당시의 집권세력이 모두 휘둘린 것이라고 봐야 하는데, 그게 가능한 일인가? 아무리 음모론이라도 한 개인에게서, 그것도 고작 국장급 인사에게서 모든 것이 시작되었다고 설명하는 것은 무리이다. 그렇다고 『자본론』의 시각처럼 한국의 모든 자본이 하나의 거대한 흐름을 만들어서 이 땅의 민중에 대한 영원한 통치를 위하여 한미 fta를? 역시 속은 편하지만, 그렇게 거대한 자본이 하나의 그룹을 만들어서 이 땅을 이끈다는 것을 상상하기란 쉽지 않다.

노무현 정부의 한미 fta 추진 2
—내인론

    노무현 시절에 추진된 한미 fta를 삼성이라는 존재를 통한 음모론으로 설명하는 것은 어려운 일이 아니다. 그러나 개인적으로 내가 선호하는 설명 방식은 아니다. 삼성이 미덥지 않고 수상한 데가 있지만 그렇다고 전능의 집단도 아니고, 또한 생각처럼 그렇게 효율적인 집단도 아니다. 파열음을 많이 내는 집단인 삼성이 이렇게 큰 일을 로비와 기획력만으로 만들어 낼 수 있으리라고는 생각지 않는다. 그렇다고 김현종 개인에게 모든 것을 덮어씌우는 것은 더더군다나 아닐 듯싶다. 그런 사람들은 언제든지 등장할 수 있다. 아이작 아시모프의 소설 『파운데이션』을 보면 매우 특별한 능력을 지닌 뮤턴트 지도자가 등장해서 시스템을 붕괴시키는데, 이 같은 상황을 논리적으로 받아들이기가 쉽지 않다. 뮤턴트는 모든 사람의 마음을 조종해서 자신을 좋아하게 만들 수 있다.

fta라는 것 자체가 노무현 대통령의 인수위 시절부터 거론되기 시작했다는 것은 사뭇 놀라운 일이다. WTO가 출범하고 난 후 몇 번에 걸쳐서 후속 논의가 진행되었지만, '도하 라운드'라고 불리게 되는 후속 체제는 여전히 불투명했다. 서울에서 개최된 G20 회의에서 도하를 재출범시켜야 한다는 얘기가 있었지만 역시 불발되었다. 최근에는 합의할 수 있는 것만 먼저 합의해서 일단 출범시키자는 '스몰 패키지'에 대한 논의가 한창이다. 도하가 이렇게 어려워진 것은, 역시 다자 협상의 특성상 선진국에만 유리하고 개발도상국에만 너무 불리해서는 출범 자체가 어렵기 때문이다. 농업을 비롯하여 개도국의 이해가 많이 반영되는 것이 다자 협상의 기본 특징이다. 그런데 도하를 건너뛰고 fta로 바로 넘어가자는 것은, 국가의 통상 정책으로는 상당히 중요한 결정이다. 우리는 이런 결정 없이 '이제는 fta가 대세다'라는 식으로 은근슬쩍 넘어갔는데, 그게 이미 노무현의 인수위 시절부터였다는 사실이 놀라운 일이다. (이 문제를 더 파고들다가 나는 노무현의 대선 후보 시절의 경제 책사들에 관해서 약간은 뜻밖의 사실을 맞닥뜨리게 되었다.)

앞에서 잠깐 살펴본 것처럼 한국의 산업은 8%라는 WTO 일반 관세의 보호를 받고 있고, 농업 분야는 관세는 물론이고 물량 규제 등 많은 보호를 받고 있는 것이 사실이다. 도하 라운드가 출범하면 공업 분야는 사실상 무관세가 될 것이고, 농업의 경우 특히 개도국은 물론이고 선진국이 자국의 농업에 대해서 지급하는 보조금도 문제가 될 가능성이 높다. 자국의 산업, 특히 취약 산업을 보호하고 상대편의 약한 고리를 찾아내는 게 통상의 기본이라는 점을 감안하면, 도하가 왜 이렇게 출범에 난항을 겪는지 이해할 수 있을 것이다.

한국은 WTO의 혜택을 본 국가 중의 한 곳이다. WTO가 다자간 협상이라서 이런 일들이 가능했다. '묻어가기' 전략도 어느 정도 가능한 상황이다. 개도국이면 나쁜가? 무역이라는 관점에서 실익을 생각하면, 사실 '영원한 개도국'으로 유지될 수만 있다면 그리 나쁜 일만은 아니다. 그렇게 우리가 누리고 있는 일종의 특혜를 우리 스스로 내려놓겠다는 결정이 노무현의 인수위 시절에 이미 어느 정도는 이루어진 것이다.

기후변화협약이라는 조금 생소한 분야로 눈을 돌려서 얘기해보자. 1997년 교토에서 협의된 교토 의정서에서 한국은 개발도상국으로 분류되어 선진국이 지게 된 온실가스 감축 의무를 면제받은 상태이다. 물론 장기적으로 볼 때 우리에게 그런 의무가 주어진다면 대체 에너지 개발 촉진과 탈석유 위주의 경제 개편이 빨라졌을 수는 있다. 이건 내가 협상 한가운데 들어가 있으면서도 늘

마음속에서 갈등을 느꼈던 점이다. 어쨌든 한국 정부는 "개도국 지위를 유지할 것"이라고 정부 훈령으로 대표단에게 지시하였고, 우리는 정부 훈령을 관철시키기 위해서 협상을 하고 움직였다. 그 과정에서 외교부 공무원들이 훈령 위반에 가까운 일들을 사적으로 추진하기는 하였지만, 대체적으로 대표단 내의 토론으로 큰 문제 없이 진행되었다. 지금 와서 그 얘기를 다시 논하고 싶은 것은 아니다.

유사한 현상을 놓고 얘기해 보자면, 노무현 시기에는 WTO 틀 내에서 개도국 지위를 일정 정도 유지하면서 실속을 챙기는 게 나을지, 아니면 언젠가는 도하가 발효될 것이고 전 세계가 fta 틀 안으로 들어갈 것이므로 조금 더 공격적으로 새로운 환경에 적응하는 것이 나을지에 대한 상황 판단이 필요했다고 본다.

이건 조금 미묘한 문제이다. 우리가 공격적으로 선진국 역할을 먼저 하는 게 좋을지, 아니면 개도국으로서 보호받을 수 있는 첫 들을 최대한 보호받으면서 자체적인 성과를 높이는 게 좋을지, 어떤 경제학도 이런 미묘한 부분에 대해서 일반론적인 원칙만을 얘기해 줄 뿐이지, 특정 국가나 특정 시점에 이렇게 저렇게 하라는 답을 줄 수는 없다. 우파에게는 별로 신통치 않게 보여서 국방부 금서 목록에 올라간 경제학자 장하준이 우리에게 해 준 설명이 대체적으로 이런 역사적 단계론의 연장선 위에 있다. 장하준 식으로 풀어서 얘기하면, 아직 WTO의 일반 기준에 의해서 충분히 보호받을 수 있는데 왜 먼저 몇 체급 위인 미국의 서비스 산업과 부딪치려고 하느냐는 것이다.

변호사와 경제학자의 판단이 미묘하게 다른 경우가 많다. 판단 기준의 차이로 인해 약간씩 다르다. 변호사나 외교관이나 공무원에게는 '한건주의'라는 게 있지만, 경제학자는 금액 혹은 총액을 기준으로 사유한다. 커도 한 건, 작아도 한 건, 이런 걸 편의상 한건주의라고 하자. 경제학자들은 그런 점에서는 총합주의에 가깝다. 한 건이건 열 건이건 더해서 액수를 보지, 몇 건을 양보하고 몇 건을 받았다, 그렇게 생각하지 않는다. WTO든 기후변화협약이든, 많은 돈이 걸린 국제 협약에서 경제학자들은 주로 초기에 메커니즘을 디자인하는 순간에 개입하고, 그 후에는 변호사들이 와서 운용을 맡는 경우가 많다.

김현종을 아주 좋게 해석해 보자. 김현종은 변호사로서 조약을 더 많이 체결하고, 더 선진적이라고 이해되는 fta를 많이 체결하는 것이 결국은 산업을 발전시키고 국가를 발전시킨다고 생각한 것 같다. 그러나 국민 경제라는 게 그렇게 간단하게 조약의 숫자와 관세의 비율만으로 결정되거나 설명되지는 않는다.

만약 정말로 그렇다면 EU에도 가입하지 않고 중립국의 위치를 지켜 온 스위스가 지금처럼 경제적 부를 누리고 있는 사실이 잘 설명되지 않는다. 물론 스위스의 집권당들도 때때로 자국의 고립 전선을 깨기 위해서 미국과의 fta 등 크고 작은 조약에 가입하려고 시도는 한다. 그렇지만 농업에 대한 금융 지원을 계속할 것인가 하는 농업 지원 문제를 놓고 진행된 국민 투표 결과를 보고 정부가 자발적으로 미국과의 fta 협상을 중단시켰다. EU에도 가입하지 않았으니 당연히 마스트리히 조약 이후 유로존에도 가입하지 않았고, 아직도 '스위스 프랑'이라는 화폐 단위를 사용한다. 그렇지만 1인당 GDP 6만 달러를 넘어설 때 스웨덴을 추월했다. 2008년 글로벌 금융 위기 때 UBS와 같은 스위스 은행들이 위기를 겪은 것은 사실이다. 그렇지만 최근의 유로존 위기 때 스위스 프랑은 상한가를 쳤고, 일부러 그렇게 한 것도 아닌데 그야말로 돈이 스위스로 쏟아져 들어와서 소규모 경제로서는 감당하기 어려운 상황이 되었다.

fta 체결 건수를 국민 경제 발전의 척도로 삼을 수는 없고, 지금과 같이 실제 한국 중소기업의 형편과 서비스 업종의 어려움을 돌아보지 않고 '글로벌 스탠더드'를 기계적으로 강요하는 것이 늘 옳다는 보장은 없다. 물론 외교관에게는 조약 체결 건수가 성과이기는 하다. 그렇지만 2005~2006년이 꼭 '동시 다발적 fta'를 추진해야 할 상황이었는가에 대해서는 훗날 다시 평가할 기회가 있을 것이다. 공무원 특히 외교관에게는 조약 체결이 개인으로서는 성과이겠지만, 그게 국민 경제에도 반드시 그런 효과를 낼 것이라는 보장은 없다.

나는 WTO나 BIT 혹은 fta라도 그 자체를 반대하지는 않는다.

다만 조약을 체결할 때 왜 하는지, 실질적으로 무슨 효과를 기대하는지 다각도로 고민할 필요가 있다고 생각하는 편이다. 당시에는 김현종이든 대통령이든 그의 측근들이든, fta를 더 많이 하는 것이 좋다고 너무 쉽게 판단했다.

전작인 『한미 FTA 폭주를 멈춰라』에서도 지적했던 얘기를 여기서 다시 한 번 짚어 보자. 한국 경제가 가야 할 길의 외부 모델이 지금의 한국에도 유효한가에 대한 질문이 있기는 하지만, 어쨌든 우리는 '레퍼런스'를 끊임없이 끌어대면서 우리의 운명에 대해 논의한 것이 사실이다.

당시에는 은유적으로 얘기했는데, 이 시점에서 그럴 필요는 없을 것 같으니 내가 아는 대로 직설법으로 얘기해 보자.

참여정부 초기에는 스웨덴 모델에 대한 논의가 있었다. 이건 삼성의 이건희 회장이 직접 스웨덴을 방문한 다음에 폐기된 것으로 알고 있다. 구체적으로는 발렌베리 모델을 삼성이 따라 할 수 있느냐는 검토였는데, 적당히 3세에게 승계하려던 삼성 입장에서 매우 까다로운 승계 원칙과 도덕을 적용하는 발렌베리가 모델이 될 수 없다는 것이 삼성 측의 판단이었으리라.

그다음에 실제로 네덜란드 모델이 진지하게 대안으로 검토되었는데, 참여정부의 초대 정책실장이었던 이정우 교수가 강력하게 밀었던 것으로 알고 있다. 고용 유연성을 그대로 두고서도 사회적 교육 훈련을 강화해서 재취업을 가능하게 한 시스템의 일환으로 검토되었다. 요즘식으로 말하면, 비정규직에 대한 문국현식 해법이다. 정책 논의의 과정에서 이정우 교수의 실각으로 흐지부지해졌고, 문국현의 얘기도 별로 사회적 파급력을 갖지는 못했다.

이런 일련의 대안 모색이 실패한 뒤 마지막으로 받아들인 게 미국식 모델이었고, 그걸 받아들이는 창구가 바로 한미 fta였다. 당시 여권 실세들에게 무역 효과나 수출 증대 등과 같은 관세 철폐의 효과는 오히려 부차적인 문제였고, 미국 기업의 우수성을 한국 기업, 특히 서비스 분야에 접목해서 중국이나 일본보다 앞서나가자는 게 한미 fta 논의의 핵심이었다.

찬성론자들의 개방이냐 아니냐의 얘기는 단순히 시장을 열고 안 열고의 의미가 아니라, 미국 경제의 개화된 운용 방식과 미국 기업의 경쟁력을 받아들일 것이냐 말 것이냐로 보아야 이치가 맞는다. 이 정도가 가장 선의로 이해한 노무현 시대의 한미 fta 추진에 관한 내인론이다.

여기에 몇 가지 부수적인 것이 따른다. '농업은 어차피 망한다'는 전략적인 판단, 그리고 교육이나 의료와 같이 집단화된 세력은 외부의 힘을 빌리지 않고서는 개혁할 수 없다는, 좋게 보면 절박감, 나쁘게 보면 무책임한 생각들이 거대한 아말감처럼 결합되어, 당시 집권 세력이었던 열린우리당의 한미 fta 추진 분위기를 형성했다고 할 수 있다.

이런 상황에서 미국은 호시탐탐 노리던 한국의 농업 시장과 서비스 시장이 알아서 열어 준다고 하니 안 받을 이유가 없다. 게다가 한국은 이미 쇠고기와 스크린 쿼터제 등 4대 선결 조건을 열겠다고 스스로 접근하였으니 말이다. 그들은 아마도 한국의 목표는 협상의 결과가 아니라 협상 그 자체였다는 것 정도는 파악하고 있었던 것 같다. 내가 미국 입장이었더라도 적당히 춤을 추면서 '이 정도는 양보했다'고 생색을 내면서 받아 주었을 것이다.

만약 그때의 집권 세력이 2008년 글로벌 금융 위기를 예상할 수 있었다면, 아마 역사의 전개 과정은 사뭇 달랐을 것이라고 본다. 글로벌 경제 위기는 여전히 진행 중이고, 이제는 '퍼펙트 스톰'으로 규모와 깊이를 더욱더 늘려 나가는 중이다. 그사이에 국제적으로나 국내적으로나 경제적 여건은 큰 변화가 생겨났다. 자본의 국경 이동에 제약 조건을 걸자는 '토빈세' 논의가 그 어느 때보다도 활발하다. 절대로 그럴 것 같지 않은 미국에서도 부자들에게 세금을 더 많이 받자는 '버핏세' 논의가 시작되었다. 가장 극적인 변화는 정부의 역할에서 생겨났다. 은행은 물론 GM 같은 기업에서 앞다투어 정부의 지원금을 받아 가기 시작했다. 사회주의 정책이라고 질색하던 정부의 개입을 오히려 월가에서 대놓고 환영하는 시기가 도래했다.

국내 경제 상황도 많이 바뀌었다. 참여정부 시절에는 미국화가 선진화로 이해되었을지 모르지만, 리먼 브러더스로 대표되는 투자 은행(IB)의 파산 이후 복지가 하나의 흐름으로, 그리고 정치를 가르는 주요한 기준선이 될 정도로 변화가 생겼다. 지금 한국은 클린턴과 오바마를 거치면서 의료 보험 문제 하나도 제대로 해결하지 못하는 미국 모델이 아니라, 자연스럽게 무상 급식과 반값 등록금이 정치 의제화된 경제로 바뀌고 있다. 스웨덴이나 노르웨이, 스위스 같은 나라들과 같은 방향은 아닐지 몰라도, '정글의 법칙'을 숭상하던 90년대의 '워싱턴 컨센서스'와는 다른 방향으로 가고 있다.

2007년까지만 해도 한국 경제는 국내의 이상한 기업 풍토와 공기업의 문제점들을 '이이제이(以夷制夷)' 방식으로 외국 자본을 유치해서 미국 정도라도 가면 큰 발전이라고 생각했다. 멕시코도 나프타 추진 전에 국영 기업들의 횡포가 하도 심해서 차라리 미국 기업이 하는 것이 낫지 않겠느냐는 의견이 팽배했었다. 정부도 도저히 손을 댈 수 없는 농협, 존재 이유를 납득할 수 없는 마사회, 견제하기에는 그 자체로 하나의 권력이 되어 버린 한전 등을 보면서 국민들은 물론 노무현 대통령 자신도 그렇게 생각했을지 모른다. 그러나 무상 급식이 선거판 자체를 뒤흔들었던 2010년 지방 선거나 7% 이상의 격차로 시민 단체의 지도자가 서울 시장이 된 2011년 보궐 선거를 보았다면 생각이 달라졌을 것이다.

나중에 참여정부는 경제 운용에서 내부적으로는 대표적인 모피아(MOFIA) 인사였던 이헌재와 김진표, 외교 분야에서는 김현종과 손을 잡았다. 선거 과정에서 노무현의 경제 책사는 KDI 대학원의 유종근과 정태인이었다.

누군가에게 휘둘리거나 초조하게 판단했을 것이라고 우리가 추정하는 그 노무현 말고, 끝까지 자기 존엄성을 지키려 했고 고독하지만 냉정을 유지했던 노무현, 만약 그가 살아 있다면 지금 이 아수라장 속에서 뭐라고 말했을까?

그가 한때 신뢰해서 청와대까지 같이 갔던 정태인과 같은 생각을 했을까? 아니면?

이명박 정부의 한미 fta 추진

경제학자로서 이명박 정부의 정책을 분석하다 보면 심각한 딜레마에 빠질 때가 종종 있다. 인천공항 매각 추진이나 한국관광공사에서 개발 중인 제주 중문단지 매각 같은 것은 합리적 이유를 찾기가 자못 어렵다. 그냥 누군가에게 특혜를 주려고 한다고 설명하는 게 훨씬 편하다. DJ 시절에는 북한과 관련된 음모론이 유행했었다. 이명박 시기에는? 역시 영포회 및 교회와 관련된 온갖 음모론이 넘쳐난다.

국가의 기본 인프라에 해당하는 전력 공급에 대해서 생각해 보자. 전두환 시절, 군인들이 무슨 국가를 운용할 능력이 있겠나 싶었지만, 어쨌든 5·18 같은 엄청난 사건들을 겪으면서도 전기가 꺼진 적은 없었다. 그리고 그게 국가를 운용하는 데 꼭 필요한 전기와 같은 기본 인프라를 민영화하지 않고 공적인 안정성을 높이는 이유이다.

그런데 군사 정권에서도 꺼진 적이 없는 전기가 이명박 정부에서는 꺼졌다. 현 정부의 정책 기조 가운데 하나가 공기업의 폐해인 제도적 실패를 줄이기 위한 민영화였는데, 필요 없는 것들은 민영화하면서 실제로는 대통령 친구와 공신들에게 주요 기간 산업의 책임자와 간부 자리를 선물하면서 생겨난 일이 2011년 9월의 정전 사태라고 할 수 있다. 군사 정권 시절 한전 등 에너지 분야에 낙하산으로 내려왔던 군인들은 최소한 자신이 국가의 중요한 일을 맡고 있다는 사명감이라도 있었다. 한전이나 정부에서는 이 정전 사고에 대해서 복잡한 이유를 대지만, 기본적으로는 강만수와 함께 '최강 라인'이라고 불리던 최중경 지식경제부 장관 등 전문성도 없고 사명감도 없는 사람들로 인한 공기업 경영 실패의 사례일 뿐이다.

'블랙아웃'이라고 부르는 대정전 직전까지 갔던 단전 사태를 설명하는 몇 가지 방식이 있을 수 있다. 수요로 설명하는 것과 공급으로 설명하는 것인데, 원전 등 공급 능력을 늘리거나, 봄가을에도 공기 조절 장치를 돌려야 하는 고층 주상 복합 건물에 대한 에너지 관리 등 수요 방식을 전환하는 변화가 없으면 장기적으로는 단전 사태가 생겨날 수밖에 없다. 옳은 것에 대한 철학적 질문과는 별도로 뭔가 하지 않으면? 바로 이명박 정부의 단전 사태가 발생한다. 값을 올리거나, 건축법을 개정하고 고층 빌딩과 산업 부문에 대한 전기 공급 방식을 바꾸거나, 무리를 해서라도 발전소를 짓거나 해야 한다. 물리적으로는 이런 게 균형인데, 이를 실패하면 통합망으로 운용되는 한국 전력 시스템에서는 정전이 날 수밖에 없다. 이 모든 것의 이유를 설명하기보다는 대통령의 무능한 친구들에 대한 특혜성 인사로 전기가 꺼졌다고 설명하는 게 훨씬 편하다.

마찬가지로 이명박 정부의 한미 fta 추진도 그냥 음모론으로 설명하는 게 훨씬 간결하고 편하다. 어떤 이유로든 대통령이 미국 정부에 약점을 잡혔다는 건 사실상 입증이 불가능하다. 정부의 말은 수출을 늘려서 통상 국가로 간다는데, 그건 두고 볼 일이다. 이명박 정부에서는 두 번의 경제 위기가 있다. 한 번은 이미 지나갔고, 한 번은 오는 중이다. 위기일수록 fta가 필요하다는 건 그냥 하는 얘기이고, 노무현 시절에 비해서 경제 내인론이라고 할 만하게 특별히 바뀐 것은 없다. 다만 통치자 혹은 지배자가 바뀌었다는 관점에서, 한미 fta와 관련해 추가적인 음모는 있을 수 있다. 이걸 경제적 음모론, 정치적 음모론, 외교적 음모론이라는 관점에서 살펴보자.

1) 구체제(Ancien Regime)의 연장 시도-경제적 음모론

2008년 이후 세계 경제는 물론이고 한국 경제의 흐름에도 변화가 생겨나고 있다. 큰 변화로 친다면, 전후인 1945년부터 1차 석유 파동의 충격이 본격화된 1974년까지가 케인스의 시대, 즉 국가가 주도하여 복지 국가를 펼쳐 나간 시대라고 할 수 있다. 우리의 경우는 90년대 중반 혹은 IMF 직전까지의 시기가 이에 해당한다. 80년대에는 레이건주의가 등장하면서 신자유주의라고 부르는 전혀 새로운 경제가 전개된다. 90년대를 중심으로 보면 '워싱턴 컨센서스'라고 부르기도 한다. 우리의 경우는 IMF 이후의 민주당 10년 정부에서 2008년까지가 여기에 해당될 것이다. 외국과의 차이점은 토건이라는 한국 경제의 특수성이 결합된 것이라고 할 수 있다.

한국 정부에서 공식적으로 경제 운용 기조를 바꾼 적은 없지만, 2008년 이후로 국민의 경제에 대한 인식에 근본적인 변화가 생겨나는 중이다. 학교 급식이 선거 지형을 뒤흔든 2010년은 이러한 변화가 정치 지형에 전환점을 가져온 시기로 볼 수 있다. 무상 급식을 전면에 내세운 곽노현 서울시 교육감과 김상곤 경기도 교육감의 약진은 이러한 변화를 상징한다. 2011년 급식 문제를 주민 투표에 부쳐 결국 공석이 된 서울 시장 보궐 선거에서 박원순이 극적인 승리를 거둔 것은 시사하는 바가 크다.

흔히 '낙수 경제'라고 하는 IMF 이후에 한국에서 전개된 경제 양상은 '기업 하기 좋은 나라'라는 표현으로 집약된다. DJ 시절 경제 관료들이 많이 썼던 "아랫목이 따뜻해져야 윗목도 따뜻해진다"는 말이 기본적으로 의미하는 바는 같다. 이걸 노골적으로 선거 공약으로 내걸었던 것이 이명박 정부의 '감세' 기조라고 할 수 있다. 1980년에 레이건이 등장하면서 레이거노믹스로 불렸던 공급 경제론의 한국 버전이라고 할 수 있는데, 여기에 대대적인 토건을 통한 재정 지출까지 결합시킨 기묘한 신자유주의와 케인스주의의 공존을 '명박 경제'로 이해하면 된다.

이 과정에서 우리 식으로는 양극화, 일본식으로는 '격차 사회'라고 불리는 현상이 중산층까지 체감할 정도로 광범위하게 전개된 것이 복지에 대한 국민적 열망이 등장하게 된 계기라고 할 수 있다. 복지와 탈토건이라는 두 가지 흐름은 노무현 시기에 수많은 진보 인사들까지 받아들였던 그 경제를 순식간에 '구체제'로 만들어 놓았다. 이런 흐름은 한국에서만 진행된 것이 아니다.

한국은 2008년 촛불 집회로 이런 시민적 흐름이 조금 먼저 나타난 것이라고 할 수 있다. 2011년 프랑스의 '분노하라!(Indignez-vous!)' 열풍, 곧이어 미국 뉴욕에서 전개된 '점령하라' 열풍보다 한국에서 시민 사회의 변화가 먼저 나타났다고 할 수 있다. 2008년 이후 현재까지 전 세계적인 흐름은 구체제와 새로운 사회에 대한 기획이라는 두 가지 힘이 충돌하는 것이다. 이 같은 상황을 20

세기 초반에 전 세계를 휩쓸었던—심지어는 그런 흐름과 전혀 상관없어 보였던 식민지 시대의 한국에도 자생적 사회주의가 등장할 정도로—계급 투쟁으로 보는 시각도 없지 않다. 실제 그런 사상적 흐름 속에서 러시아 혁명이 일어났고, 현실 사회에서 사회주의 국가가 등장하게 되었다. 그 시기의 혁명 모델을 '원샷 솔루션'이라고 표현할 수 있다. 단번에 민중이 정부를 장악하고, 모든 산업을 국유화해서 자본주의와는 전혀 다른 계획 경제를 만들어 내는 것이다.

그러나 2011년에 격화된 경제적 갈등은 1세기 전과는 양상이 다르다. '가난'이 모티브라는 점은 같지만, 훨씬 순화되었고, 또 자본주의에 대한 전적인 거부는 아니다. 그런 점에서 전복적이기는 하지만 혁명적이지는 않다. 민중이 주체가 된 변화와 시민이 주체가 된 변화의 차이라고 한다면, 현 상황을 조금 더 쉽게 이해할 수 있을 것이다. 이러한 변화는 현재 진행형인데, 정치적으로는 민주당 정권으로의 복귀라고 할 수 있지만, 경제적으로는 넓게 보면 IMF 이후의 98년 체제, 짧게 보면 희한하기 짝이 없었던 MB 경제가 해체 양상을 보일 것이라고 예상하고 있다.

물론 이 같은 변화가 재벌을 해체하거나 전면적인 국유화 조치가 이루어지는 등 급진적인 것은 아닐 터이다. 그러나 상징적으로 '고소영(고대-소망교회-영남)' 혹은 '강부자(강남 사는 부자)' 아니면 '영포회' 같은 기형적이면서도 그로테스크한 경제를 지배하는 의

사 결정 체계는 해체시킬 가능성이 높다.

노무현 시대의 한미 fta가 스웨덴이나 네덜란드 방식이 아니라 미국식 경제 체제로의 전환을 시도한 성격이 강했다면, 지금의 한미 fta는 구체제를 전복시키는 힘을 제어하는 역할이 더 강하다. 한미 fta는 낙수 경제의 연장에서 1%의 힘을 강화하고, 99%의 힘을 약화시키는 경향이 있다. 한미 fta는 무역 협정이자 투자 협정의 성격(예전의 BIT)을 띠는데, 투자자의 이익은 일반 국민 혹은 노동자의 권익보다는 다국적 기업의 이익을 노골적으로 보호하는 성향이 있다. 어쨌든 일반 국민이나 중소기업이 대대적으로 해외 투자에 나서게 되는 것은 아니다.

그것이 진실이든 아니든, 한미 fta를 둘러싼 국민적 갈등의 한 접점은 경제적인 측면에서 구체제를 연장시킬 것인가 해체할 것인가이다. 겉으로는 무역 협정처럼 이해되지만, 실제 찬성 쪽이든 반대 쪽이든, 다분히 구체제의 향방을 둘러싸고 의견을 표명하게 되는 양상을 보인다.

우리의 대통령이 한미 fta에 대해서 얼마나 알고 있을까? 4대강을 추진하기 위해서 알아야 했던 지식에 비하면 10분의 1도 채 모를 것이다. 그러나 그도 복지와 공공성이 강화되는 방식과, 다국적 기업이 강화되고 공공성을 약화시키는 한미 fta로 상징되는 경제 체제가 배치된다는 것 정도는 알 것이다. 한미 fta하에서도 공공성을 지킬 수 있다는 외교부의 주장과 공공성을 강화시킨다는 것은 결이 다른 얘기이다. 지금보다 더 나은 복지와 지금만큼의 복지, 여기에는 분명히 뉘앙스의 차이가 있는 것 아닌가?

현 상황에서 더 나은 복지 패러다임으로 경제가 전환되는 것을 fta라는 외부적 힘으로 막겠다는 것은 경제적 의미에서 음모론적 시각이다.

박근혜가 한미 fta 날치기에 참여한 것에 대한 가장 간편한 경제적 설명은 구체제의 경제 시스템을 연장하려는 음모라고 해석하는 것이다. fta가 한국 경제에 보탬이 될 것인가에 대해서는 복잡한 논쟁이 따르겠지만, '잔여적 복지' 혹은 시혜성 복지 이상을 생각하지 않는 사람들에게 fta는 일종의 쐐기 효과 같은 것이다. 무상 급식에 이어 무상 의료와 무상 등록금으로 갈 것인가, 아니면 외국 농산물 수입 급증, 의료 민영화와 외국 대학 분교 신설 등 또 다른 세계로 갈 것인가의 패러다임 충돌과도 같다. 무상 급식을 반대해서 주민 투표를 실시했던 사람들의 눈으로 본다면, 한미 fta는 주민 투표 없이 자신들의 경제 체제를 강화시키는 가장 강력한 우군이다. 이제는 '앙시앵 레짐'이 되어 버린 오세훈 시대를 연장하고자 하는 사람들에게 한미 fta는 얼마나 매력적으로 보이겠는가?

2) 반MB 세력의 분열 - 정치적 음모론

시민 후보였던 박원순이 한나라당 나경원 후보에게 7% 포인트
의 차이로 서울 시장 선거에서 이긴 것은 2011년 10월 26일이었
다. 그리고 바로 그즈음에 국회에서 한미 fta 통과를 재촉하는 청
와대의 지시가 내려갔는데, 시기상으로 상대방을 생각하지 않고
자신들의 일정만으로 날짜를 계산한 이 사건이 묘한 효과를 나타
냈다.

박원순의 지지자들이 10년 만에 한나라당으로부터 서울 시장
자리를 되찾아온 기쁨을 만끽하기도 전에 정국은 한미 fta의 국회
비준을 중심으로 긴박하게 움직였다. 찬성할 것인가 반대할 것인
가, 반대한다면 어떻게 반대할 것인가, 이런 논의는 박원순에게
투표했던 지지자들을 분리시켰다. 자, 입장을 바꿔서 생각해 보
자. 만약 여러분이 청와대 고위 관료라면 한미 fta를 추진하겠는
가, 안 하겠는가? 경제적인 이유라면 조금 더 숙고할 여지가 있
지만, 정치적인 이유라면 무조건 추진하는 게 이득이 된다. 그걸
로 상대방을 결정적으로 분할할 수 있는데 안 할 이유가 있겠는
가? 이런 구도하에 2012년 총선에서 박근혜는 압승을 거두었다.

기본적으로 반MB를 표방하는 집단에는 아킬레스건이 몇 가지
있다. 이익으로 뭉친 집단이 아니기 때문에 정신, 이념, 방향이
부딪칠 때에는 자존심 혹은 존재의 이유가 흔들리게 된다. 돈이

나 권력과 같이 나눌 게 있는 집단은 적절하게 나누는 방식에 의해서 해법을 찾을 수 있지만, 그런 게 없는 집단은 현실적인 균형을 찾기가 아주 어렵다. 극우, 극좌 혹은 종교적 의미의 근본주의자들이 현실 사회에서 힘이 없음에도 타협이 어려운 것은, 나누려고 해도 나눌 것이 없어서 그런 경우가 많다. 정치에는 명분을 따라 움직이는 대의적 속성과 밥그릇 등 권력 나누기라는 실익적 속성이 있는 것 아니겠는가?

이런 상황에서 한미 fta는 경제적 고려에 앞서 정치적 의미가 더 크다. 한미 fta에 대한 논란은 일순간에 '반MB'라는 연합군의 한가운데를 가를 수 있고, 불안하게 뭉쳐져 있는 대오를 가르게 된다.

이렇게 어정쩡한 상황에서 가장 먼저 정치적 입장을 정한 것은 지난 대선의 패배자였던 정동영이다. "그때는 잘 몰랐다." 사뭇 궁색한 변명이기는 하나, 앵커 출신인 정동영으로서는 나름 유쾌한 해법이었다. 한때 '선진 통상 국가'를 내세우며 fta의 미덕을 외쳤던 유시민으로서는 훨씬 답변하기 어려울 것이다(『대한민국 개조론』, 돌베개, 2007). 그는 결국 "지금도 문제이고, 그때도 문제였다"고, 논리성을 강조하던 사람으로서는 자못 어려운 결정을 내리면서 입장을 바꾸었다. 한나라당 시절에 대장정을 떠나서 시골 농민들에게 한미 fta를 설득했던 손학규로서는 더 어려운 순간이다. 그는 "손해 보는 fta는 안 됩니다"라는 정서적인 말로 선회했다.

민주당의 단체장들에게도 고뇌의 순간이 왔다. 시민 단체 출신인 박원순 시장이나 무소속인 김두관 경남 도지사는 선택이 훨씬 용이한 편이었다. 그러나 지난 국회에서 한미 fta 특위 위원장을 지냈던 송영길 인천 시장이나 '좌희정, 우광재'의 바로 그 안희정 충남 도지사의 경우에는 가혹한 시간이 되었다. 예전의 지지자들 앞에서 입장을 바꾸기도 어렵고 고수하기도 어려운 시간을 보내고 있다.

호남 지역이 기반이라서 수도권의 흐름과는 전혀 상관없는 무풍지대에 있는 강봉균 등 전라도 의원이나 김진표 원내 대표 같은 사람들은 졸지에 지지자들에게 배신자로 몰리게 되었다. ISD는 한미 fta의 일부분에 불과한데, ISD만 빼면 통과시켜 주겠다는 논리가 옹색할 수밖에 없다. '좋은 fta'와 '나쁜 fta'라는 말에도 전략적인 의미만 있지 논리적 일관성을 찾기가 어렵다. 좋은 fta는 이익의 균형을 맞춘 노무현 시절의 fta, 나쁜 fta는 재협상에 의해서 이익의 균형이 깨진 이명박 시대의 fta를 의미한다. 전체적으로 보면 말장난에 가까운데, 정치의 영역으로 들어오면 이 작은 차이가 태평양만 한 입장 차이가 된다. 안철수 등장 이전에는 가장 유력한 대선 주자 중의 한 명이었던 문재인 노무현재단 이사장이 이런 입장이다. 유시민도 초기에는 같은 입장이었는데, 대한문 앞에서 열린 반대 집회 참가를 즈음해서 입장을 바꾸었다.

여기에 처음부터 한미 fta를 강력히 반대했던 노회찬, 심상정 등 진보신당 출신 정치인들이 있다.

자, 여러분이 새누리당이나 청와대 혹은 한미 fta 찬성론자라면, 반대쪽의 진영이 얼마나 어처구니없고 한심해 보이겠는가? 여러 가지 경제적·사회적 측면에서 새누리당도 황당하기는 하지만, 한미 fta 앞의 반대론자들처럼 기괴하고 제각각으로 보이지는 않을 것이다. 여기에 주로 호남을 기반으로 한, 민주당 내의 보수적 정치인들이 존재한다. 이들은 DJ의 영향력 아래에서 정치적으로는 반새누리당일지 몰라도, 경제 정책의 관점에서는 새누리당과 다를 바 없는 사람들이다. 근본적으로 경상도에서의 토건과 전라도에서의 토건이 뭐가 다르겠는가? 이런 사람들을 '민주당 내 보수파'라고 분류한다면, 한미 fta를 중심으로 여기에서 또 하나의 선이 갈리게 된다.

정치적으로 흐트러뜨리기 위해서 새누리당이 한미 fta를 날치기로 통과시킨 것이라면, 우리는 그것을 정치적 음모론이라고 부를 수 있을 것이다. 형식은 경제 조약이지만, 실제로 날치기로 이어지는 기본적인 힘은 국내 정치에 더 가깝다. 정치라는 눈으로만 본다면, 대선까지 가는 길에서 한미 fta는 통상과는 상관없이 정치 변수로 움직이게 된다.

이 과정에서 최고의 승자는? 길게 보면 여야 정치인 모두가 패자이고, 진짜 승자는 외교부 간부들 아니겠는가? 한때는 외교부 내에서 한직으로 분류되던 통상 업무로 밀려났던 외교관들이 일부는 정치인으로, 일부는 삼성 등 대기업 간부로 가면서 최대의 수혜자가 되었으니 말이다.

3) 한 · 중 · 일 헤게모니의 재구성-외교적 음모론

북한과 미국, 여전히 2010년대의 한국을 구성하는 중요한 축이다. 우리는 정서적으로 싫은 사람에게 '친북'이라고 하고, 여기에 '빨갱이'라는 말을 덧붙인다. 일반적인 정치 노선으로서 사회주의자 혹은 공산주의자와는 또 다른 의미를 가진다. 좌파와 빨갱이를 합친 '좌빨'이라는 말은 이념이나 정치적 지평이라기보다는 간첩, 배신자, 반역자의 이미지를 가지고 있다. 그 반대편에는 '친미'라고 하는 또 다른 대척점이 있다. 1945년 나라를 되찾은 이후, 우리는 미군정하에서 친일파를 청산하지 않고 그대로 이 나라의 주요 직책에 등용했다. 그런 이유로 친미는 또 다른 의미에서 배신자라는 이미지를 가지고 있다. 우리는 이렇게 살아왔다.

정치 혹은 문화적인 면에서 한국에 가장 의미 있는 나라는 미국이다. 많은 사람이 그렇게 생각할 것이다. 그러나 경제적으로는 그렇지 않다. 수출은 중국〉미국〉일본〉홍콩의 순이고, 수입은 중국〉일본〉미국〉사우디아라비아의 순이다.

한 · 중 · 일은 좋든 싫든 무역 관계에서 상호 의존적이며, 점점 근접해 간다. 이런 상황에서 중국과 미국의 경제 역시 협력과 긴

중국 수출	미국(2,831)〉홍콩(2,182)〉일본(1,202)〉한국(688)
중국 수입	일본(1,763)〉한국(1,380)〉대만(1,156)〉

장을 오가며 새로운 패권 경쟁으로 나아가고 있다. 특별한 일이 없다면 한·중·일의 역내 협력에 대한 비중은 점점 커지고, 최소한 경제적인 면에서 미국의 영향력은 감소할 것이다. 물론 이것이 기계적으로 미국의 정치적 영향력의 감소를 의미하지는 않지만, 경제와 정치가 전혀 다른 방향으로 움직이는 것은 아니다.

자, 우리의 관점에서 보자면 어떤 식으로 역내를 구성하는 것이 가장 좋을까? 노무현 정부에서는 '동시 다발적 fta'라는 전략을 가지고 있었다. 법적인 근거가 있는 건 아니지만, 한미 fta로 전개되는 과정에서 어떤 면에서는 헌법보다도 우위에 있는 기본적인 선택이 되어 버렸다. 기본적으로는 fta라는 동일한 틀 속에서, 미국을 일종의 중심축 즉 허브로 삼아 한·중·일 관계를 엮어 간다는 의미이다. 노무현 시절의 경제 관료들은 미국을 일종의 '무역 서버' 같은 것으로 이해하고, 같은 표준 언어인 미국식 fta라는 프로토콜을 사용해서 일본과 중국에 접속하는 걸 상상했던 것 같다. 선의로 그 뜻을 해석해 본다면, 어차피 미국식 fta가 세계적 대세가 될 터이니 그 '언어'를 조금이라도 먼저 배우는 것이 중국이나 일본에 비해서 상대적으로 경쟁력을 가지게 되는 것이라고 할 수 있다.

역내 통합이라는 관점에서는 가장 대표적인 것이 EU 경제 통합이다. 역내 국가들이 먼저 경제 공동체를 만들고, 그다음에 다른 나라와 무역 관계를 설정한다. 이런 관점에서 본다면, 우리의 경우에는 수출과 수입의 비중이 큰 중국, 일본과 어떤 식의 역내 무역 관계를 가질 것인가가 최대 과제라고 할 수 있다. 세계 경제에서도 마찬가지이지만, 동북아 역내에서 중국의 비중은 점점 커져 가고, '헤게모니'라고 부를 수 있는 힘의 역학 관계가 바뀌고 있다.

이명박 정부가 한미 fta를 강력하게 지지한 바탕에는 이런 역내 구조에서 미국과는 가까워지고 중국과는 멀어진다는 '근미원중(近美遠中)'의 외교 기조가 깔려 있다. 한·중·일의 관계를 어떻게 설정한 것인가는 한반도를 기반으로 살아가는 사람들에게는 영원한 질문일 수도 있다.

통상만을 놓고 보면 우리 역내의 관계에는 두 가지 길이 있다.

첫째, 미국을 허브로, 미국형 fta를 중국, 일본과 순차적으로 체결하는 방식이다.

노무현 시대 이후로 정부에서 설정하고 있던 '동시 다발적 fta'라는 용어는 기본적으로는 미국을 중심으로 한·중·일의 구도를 재편하고자 하는 의도가 깔려 있다. 한미 fta 이후 한중 fta, 한

일 fta를 순차적으로 체결하겠다는 전략은 동북아시아에서 통상을 축으로 미국의 권한을 높이겠다는 의미를 가지고 있다. 한국의 극우파는 그렇게 미국의 힘을 빌려 오는 것을 한미 동맹 관계의 전략적 활용쯤으로 이해하고 있는 듯하다.

둘째, IMF의 동아시아 버전이라고 할 수 있는 지역 금융 문제에서 시작하여 단계적으로 지역 경제 통합의 형태로 나아가는 길이다.

장기적으로 EU 경제 통합과 유사한 방식 혹은 그보다 느슨한 지역 협력 체제로 가는 길이다. 가장 간단하게는 동아시아 버전의 IMF와 같은 외환 위기 등을 관리하기 위한 지역 금융 기금을 만드는 방식이 있을 것이고, 장기적으로는 시장 통합 혹은 화폐 통합 같은 것을 생각할 수 있다.

이 두 가지 방식 중, 한미 fta의 연장선에서 미국형 fta를 통한 한·중·일 관계는 분명히 역내에서 미국의 경제적 헤게모니는 물론이고 정치적 헤게모니를 강화하는 측면이 있다. 한·중·일의 역내 교역 증가와 함께 정치적 힘도 강화되는 것이 자연스러운 흐름이라면, 한미 fta는 미국의 입장에서 좀 더 손쉽게 경제적 잠재성을 가진 이 지역에서 더 많은 권한을 가지게 해 주는 역할을 한다.

분명히 이런 점은 미국에 한미 fta를 통한 경제적 이득 이외에 정치적으로 더 많은 이득을 준다는 특징이 있다. 이 얘기가 한국 버전으로 들어오면 중국과 일본에 대한 정치적 두려움이라는 형태로 전환된다. 미국을 통하여 중국과 일본을 정치적 혹은 외교적으로 견제한다는, 무역이나 경제와는 아무 상관 없는 한미 fta에 대한 정치적 효과에 대한 분석이나 주장이 그런 것들이다.

정리해 보면, 이명박 정부는 외교적인 측면에서 한·중·일 즉 동아시아에서 미국의 헤게모니를 강화하고, 한국이 여기에 얹혀 가서 미국의 힘을 등을 업고 지역 내에서의 안정성을 도모하겠다는 게 한미 fta의 외교론적 해석이다. 여기에 최근 추진되고 있는 미국 주도의 태평양 버전의 경제 통합 즉 TPP(Trans-Pacific Partnership)에 일본까지 끌어들일 수 있다면 미국 입장으로서는 한·중·일을 분할시키면서 자국의 힘을 극대화하는 전략이 될 수 있다.

미국의 입장에서 보면 한미 fta는 한·중·일이라는, 세계에서 가장 큰 경제 블록으로 성장해 가는 지역에서 가장 쉽게 정치적 교두보를 마련하는 일이다. 그런데 곰곰 생각해 보자. 이게 한국 경제에는 장기적으로 어떤 도움을 주게 되는가? 안보 측면에서 한미 fta가 필요하다는 일부의 주장을 뒤집어 보면, 한·중·일의 다이내믹으로 생겨날 수 있는 또 다른 가능성을 우리가 한미 fta로 포기하고 있다는 얘기이기도 하다. 이것의 경제적인 의미를 생각해 보기도 전에 우리는 미국 중심의 동북아 헤게모니의 맨 앞에 서게 되었다. 미국한테는 분명히 좋은 일인데, 우리에게는 논란이 있을 수 있는 주제이다. 그런데 왜 한국 공무원들은 이걸 미국 공무원의 눈으로 판단하는가? 중국, 일본과 어떠한 경제적 관계를 가질 것인가에 대해서 분명히 고민이 필요하다.

한미 fta와 관련된 외교적 음모론의 핵심은, 결국 외교부 등 한미 fta를 추진하는 상층부가 한국 공무원 같지 않고 미국 공무원 같다는 것이다. 미국에 좋은 게 꼭 한국에도 좋다는 보장이 없지 않은가? 그러다 보니 경제와는 별 상관도 없는 안보 이익이니 전략적 동반자니 전통적 우방이니 하는 얘기들이 흘러나오는 것 아닌가? 분명히 미국의 음모는 아닌데, '검은 머리 미국인'인 한국 지배층의 외교적 음모로 보이는 것은 사실이다.

노무현 컨센서스

─바보, 신념, 비겁함

　열린우리당이 여당이던 시절에 '동시 다발적 fta 전략'이 우리가 나아갈 길이라는 여론이 한국 지배층에 광범위하게 퍼져 있었다. 1990년대 워싱턴의 정가에서 뉴욕의 월가에 이르는 일련의 경제 인식을 '워싱턴 컨센서스'라고 한다. 한국에서는 그 정도로 강력하게 신자유주의적 경제 운용에 대한 공감대가 존재한 적이 없었다. 그 대신 두 가지 측면에서 기묘한 컨센서스가 존재했다고 할 수 있다. 그중 하나가 '모피아'들을 축으로 하는 '메가뱅크' 등을 통한 금융 허브론이다. 외환은행 매각 문제와 산업은행 민영화 논의가 이런 흐름에서 진행되었다. 노무현 시절에도 금융에 대한 다른 대안은 논의되지 않았다. 금융과 유사한 방식으로 진행된 것이 외교부를 중심으로 움직인 통상이다. 한미 fta를 중심으로 보면, 2000년대 중·후반에 한국 경제를 움직인 사람들이 잘 부각된다. 여야 구분과는 상관없이 fta를 중심으로 정치인, 관료, 재계에 이르기까지 한미 fta에 대한 한국 지배층의 거대한 합의 같은 게 존재한다. 이걸 '노무현 컨센서스'라고 하자.

노무현 컨센서스 앞에서 야당 지도자들은 어떠한 입장을 취하고 있는가? 심상정, 노회찬 등 노무현 컨센서스에 참여하지 않았던 사람들과 천정배같이 일관되지만 소수파였던 사람들을 제외하면 다음과 같은 세 가지 입장으로 나눌 수 있다.

스스로 바보임을 자청하거나, 자신의 신념을 강조하며 통상파의 입장을 견지하거나, 어정쩡한 입장에서 비겁함을 선택하거나…. 참 선택지가 좁다.

1) 바보

한국에 케인스주의를 도입한 1세대 경제학자인 조순은 『한겨레』 칼럼을 통해 fta 입국은 들어 본 적도 없다고 했다. 조순이 택한 이 정도 입장이 아마 한국의 상식적인 케인스주의자들이 한미 fta에 대해서 내릴 수 있는 진단일 것이다. 물론 그 같은 입장을 뒷받침하기 위한 근거로 장하준처럼 경제 발전 단계를 제시할 수도 있고, 또 다른 이유들을 거론할 수도 있다. 그런 점에서 은근슬쩍 이 문제를 비켜간 정운찬은 경제학자로서는 비겁했다. 나는 그가 속내로는 조순과 같은 이론적 결론을 가지고 있지만, 대선을 꿈꾸는 예비 정치인으로서 불편한 논란은 피해 간 거라고 본다.

개인적으로 노무현의 인간적인 여러 측면에 여전히 매력을 느끼고 있고, 그의 불행한 삶이 안타까운 것도 사실이다. 그러나 왜 그가 IMF 경제 위기라는 무거운 짐을 지고 출발했던 전임 대통령과는 달리 경제적 개혁을 이룰 수 있는 절호의 기회를 맞았음에도 재임 중에 '동시 다발적 fta 전략'을 받아들이고, 가장 강화된 미국과의 fta를 선진 경제 운용의 학습의 장 정도로 이해했는지 모를 일이다.

선의를 가지고 이해한다면, 노무현의 경우 WTO나 DDA와 같은 다자간 협상과 fta라는 양자간 혹은 지역 무역 협약의 섬세한 차이점들을 몰랐을 수 있다. 그의 주변 사람들 역시 세계 경제 체제의 전환을 기다리고 있던 2008년 이후의 장기적 변화에 대해서 전혀 예상하지 못한 것 같다. 일본과 중국 사이에서 위기가 온다는, 삼성 이건희 회장의 '샌드위치 위기론' 정도를 생각했던 것 같다. 그렇지만 진짜 위기는 동북아가 아니라 영원한 강국이라고 생각했던 미국의 경제에서 왔고, 이것이 불완전한 경제 통합으로 단일 화폐 체제의 위험을 안고 있던 남부 유럽으로 전이되었다.

노무현이 '바보'였는지는 모르지만, 2008년 글로벌 금융 위기 때 자신이 생각했던 것과는 다르게 상황이 전개되는 걸 보면서 아니다 싶었던 것 같다. 그가 짧게 남긴 메모에 이러한 심경이 담겨 있다.

> fta라는 매우 특수한 무역 제도는 쉽게 이해하기가 어렵고, 복합적이며 중층적인 속성이 많아서 '좋다, 나쁘다'라고만 말하기는 어렵다. 게다가 그 효과가 긍정적인지 부정적인지, 워낙 검토해야 할 게 많아서 그 누구도 도움이 된다, 도움이 되지 않는다, 그렇게 단편적으로 말하기는 어렵다.

그럼에도 노무현 시절의 여당 인사들은 대부분 너무 쉽고 간단하게 'fta가 대세다'라는 명제를 받아들였다. 당시 국회의 fta 특위 위원장을 맡았던 송영길 인천 시장의 경우가 대표적이다. 나중에 반성했던 정동영 역시 개성공단이라는 미끼 하나로 쉽게 한미 fta를 받아들였던 사람이다.

미안한 얘기지만, 그들은 국가의 운명을 결정하게 될 fta의 복잡성 앞에서 모두 바보들이었다. 그렇게 바보였다는 걸 받아들이면, 그다음의 경제 정책은 일관성을 가지게 만들 수 있다.

2) 신념, 통상파

한때 '낙수 효과'라는 말로 부자들과 강한 주체에게 힘을 몰아

주는 것이 국민 경제에 보탬이 된다는 얘기가 유행한 적이 있다. 터무니없는 말이고 검증되지 않은 이론이지만, 이 이론은 IMF 경제 위기 이후 새롭게 국가를 운영하게 된 사람들에게 일종의 상식처럼 받아들여졌다. 유사한 버전으로 "아랫목이 따뜻해져야 윗목도 따뜻해진다"는 말도 유행했었다. 경제에는 정답이 있는 것 같지만 사실은 그렇지 않다. 특별히 더 유행하거나 인기를 끄는 담론이 있기는 하지만, 그것들 역시 수많은 가설의 체계에 불과하다. 그리고 시대가 바뀌면 주장도 바뀌게 된다. 요즘은 낙수 효과로 한국 경제를 살릴 수 있다고 생각하는 사람들의 세가 급격히 떨어지는 추세다.

민주당 대표를 지냈던 정세균의 경우, 도무지 이해하지 못할 정도로 황당한 정책들을 만들어 냈었다. 토건이니 신자유주의니 하는 정책들이 많이 나왔고, '우클릭'을 해야 한다는 이상한 중도론이 대세인 것처럼 움직이던 시절이었다. 그에게는 미안하지만, 나는 그를 바보라고 생각했고, 도대체 왜 야당에 있는지 모를 사람으로 간주했다. 그가 당 대표가 된 뒤 서울역 역사에서 열린 작은 토론회에 나를 토론자로 부른 적이 있었는데, 솔직히 가기 싫었다. 그렇지만 논쟁을 하더라도 상대방의 얼굴을 보면서 하고 개인적인 감정을 앞세우지 않는다는 게 소신이었으므로 참석하기로 했다. 그날 믿을 수 없는 얘기를 들었는데, 그때 발표 자료가 정리되어서 나중에 책으로 나온 게 『99%를 위한 분수경제』이다.

그가 정치적 입장 때문에 그런 얘기를 한 건지, 아니면 그게 소신이었는지는 잘 모르겠다. 분수경제가 소신이었다면, 당 대표일 때와 산자부 장관이었을 때는 왜 그렇게 했는지 설명이 안 된다. 정말로 뭔가 할 수 있는 자리에 있을 때 자신의 소신을 실천했더라면 더 좋지 않았을까. 어쨌든 책을 출간한 이후, 그는 한미 fta 반대 진영에 서게 되었다.

fta를 신념으로 가지고 있다고 느꼈던 사람은 민주당 원내 대표 시절의 박지원이었다. 그는 밀실에서 한나라당과 한-EU fta를 통과시키는 데 합의하였는데, 그 내용에 대해서 비판이 많았다. 밀실 통과로 비판받을 때 그가 했던 말이, 국가 경제에 도움이 되는 거 아니냐는 거였다. 그런 박지원이 민주통합당 최고 위원에 도전하면서 입장을 바꾸었다. 그는 폐기까지 거론하면서 어느새 반대 측 흐름에 서 있었다.

그러나 정말로 fta를 신념으로 가지고 있는 사람들도 적지 않다. 국회에서 한미 fta가 날치기로 통과되던 즈음, 김진표 원내 대표를 필두로 한 통상파의 작은 쿠데타가 있었다. 한미 fta 통과를 당론으로 정하자고 했던 일이 그것이다. 그들은 fta에 신념을 가지고 있는 사람들이다. 신념이 옳은지 아닌지는 사실 논쟁의 대상이 아니다. 신념은 신념일 뿐이다.

통상의 한 메커니즘에 불과한 fta가 신념의 수준으로까지 올라온 것은 어쨌든 범상한 일이 아니다. 나는 지금 이 상황의 한미

fta에 반대하지만, 이것이 나의 신념은 아니다. 경우에 따라서는 찬성할 수도 있고, 어쩌면 내가 더 적극적으로 주장할 수도 있다.

민주당에 fta 신념파가 생각보다 많다는 것은 비극이다. 어떻게 통상이 신념이 될 수 있는가? 그래서 나는 그들을 통상파라고 부르기로 했다.

3) 비겁함

한명숙이 처음 얘기한 걸로 알고 있는데, '착한 fta와 나쁜 fta'라는 말이 한동안 유행했다. 이건 통상을 신념으로 생각하고 살아가는 사람보다 더 이상한 입장이고, 기본적으로는 사기이다. 미국과의 재협상 과정에서 자동차 노조가 자신의 주요한 지지 세력이었던 오바마의 주장이 관철되어, 자동차 관련 내용과 섬유 관련 내용이 조금 바뀌었다. 자동차 쪽에서의 이익이라는 것도 생각보다는 과장되어 있고, 무엇보다도 자동차 업체 즉 현대의 현지화 전략이 계속해서 강화되는 추세이기 때문에 이러거나 저러거나 별 영향은 없을 것이다. 아마 미국 쪽에서도 이것 때문에 한국이 미국 자동차를 엄청나게 수입하거나 그러지는 않을 것이라고 현실적인 판단을 내렸을 것이다. 다만, 한미 fta를 발효시키기 위해서 최소한의 요식 행위가 오바마에게는 필요했고, 그게 자동차였다고 볼 수 있다. 전체적인 흐름으로 보면, 재협상에서 엄청난 일이 벌어진 것은 아니다. 미국은 노조에게 '우리가 뭔가 했다'는 모양새를 갖추었고, 한국은 그냥 미국 쪽의 반대를 무마하기 위해서 뭔가를 들어 주는 모양새를 갖추었다. 그야말로 두 나라 외교 사이의 '모양내기'일 뿐이다. 물론 전체적으로는 후퇴하는 모습이기는 하지만, 이것 때문에 한미 fta가 더 문제가 되거나 그런 건 아니다.

노무현의 fta는 이익의 균형을 맞추었는데, 이명박의 재협상으로 이익의 균형이 무너졌다, 이게 상당히 이상한 얘기이다. 논리적으로는, 그렇다면 자동차 외에는 이전에 했던 협상에서 아무런 순익도 없다는 것을 스스로 인정하는 셈이 된다. 바뀐 건 현실적으로 자동차 외에는 없는데 그것 때문에 '나쁜 것'이 되었다면, 그 전에 했던 협상 역시 경제적 이익은 자동차밖에 없다는 것을 자인하는 것 아닌가? 정치적으로는 이 주장이 의미가 있을지 모르겠지만, 경제적으로는 정말 말이 안 된다. fta에 착한 것도 있고 나쁜 것도 있는가? 이건 기본적으로 비겁한 얘기이다.

바보는 바보로서의 일관성이 있는 거고, 통상파는 통상파대로 일관성을 가지고 있다. 그러나 '착한 fta'는 아무것도 아니고, 그냥 비겁한 거다.

물론 정치를 떠난 경제라는 건 공허하고 무의미하다. 이 말에는 동감한다. 그러나 경제를 논의하는 데에 정치적 견해가 너무 강하게 들어온 이 상황은 좀 이상하다. 수년간 온 나라가 fta에 대해서 진지하게 논의하고 격론을 벌인 것 같지만 진짜 논의는 거의 없었다.

국민 경제라는 것을 하나의 시스템으로 생각해 보자. 여기에서 벌어지는 많은 변화는 간단하게 보면 바깥에서 오는 것과 안에서 오는 것, 두 종류로 생각해 볼 수 있다. 대표적으로 기후변화협약 같은 것이 바깥에서 온 변화이다. 브라질 리우, 일본 교토, 모로코 마라케시, 이런 데에서 중요한 결정들이 이루어졌고, 그것을 어떻게 내부화할 것인가가 문제이다. WTO의 경우도 외부에서 온 변화이다. 우리가 좋든 싫든 세계 무역 체제에 중요한 변화가 왔고, 이런 건 거부하기 어려운 종류의 변화이며, 외부의 힘에 의해서 우리가 변화해야 하는 경우이다.

내부의 힘에서 오는 변화들도 있다. 한국은 일본보다 수준이 높은 토건 국가이다. 한국한테 굳이 강하게 토건을 하라고 주문한 외국이나 외부의 힘이 있었던 것은 아니다. 박정희의 유신 경제, DJ-노무현 시절의 불완전한 경제 개혁 혹은 개혁의 실패가 우리를 토건 구조로 몰고 갔고, 급기야 4대강 사업 같은 기상천외한 일이 벌어지기도 했다. 이런 건 내부의 힘에 의한 것이다.

자, 한미 fta까지 끌고 온 이 힘이 내부에서 온 것인지 외부에서 온 것인지 냉정하게 한번 생각해 보자. 한국한테 fta를 하라고 강요했던 나라는 없었다. 물론 노무현 시절, 중국이 fta를 요구하기도 했고, 일본과도 fta를 검토하기는 했다. DJ 시절, 미국이 BIT

를 요구하기는 하였는데, 스크린 쿼터와 광우병 쇠고기를 이유로 대통령이 중단 지시를 내렸다. 그러면 큰일 나는가? 한미 fta가 정식 발효되기 전까지, 현대자동차가 미국에 공장을 차리고 현지 생산을 늘리고, 삼성전자의 제품들이 미국에 들어가는 데 무슨 문제가 있었는가?

그렇다면 내부의 힘은? 좀 더 멀리 잡으면 1998년 이후, 조금 짧게 잡으면 노무현 중반기 이후로 한국은 우리 식 표현으로는 양극화, 일본식 표현으로는 '격차 사회'로 진입하고 있었다. 이 내부의 힘은 fta와는 반대 방향으로 간다. 학교 급식이라는 특별한 논쟁을 거치면서 한국은 복지, 정확히 말하면 '잔여적 복지'가 아니라 '보편적 복지'로 가고 있다.

다음 장으로 넘어가기 전에 한 가지만 명확하게 얘기하겠다. 그것이 음모론이든 내인론이든, 우리를 한미 fta로 이끈 힘이 한국의 경제 시스템 내부에서 자연스럽게 나온 것이 아니라, 외부에서 온 것이라는 점을 생각해 볼 필요가 있다. 김현종이 노무현 대통령을 속인 것이든, 아니면 한나라당이 민주통합당 등 야권 연대를 뒤흔들기 위한 것이든, 혹은 미국과의 동맹 강화를 통한 비경제적 이득을 위한 것이든, 우리를 한미 fta로 이끌어 나가는 힘이 한국 경제의 내부적 힘이 아니라는 사실을 생각해 보아야 한다.

무역으로 먹고산다는 말이 참이 되기 위한 유일한 경우는, 무역업체나 생산업체들이 직접 정부에 부탁하든 로비를 하든, 한미 fta 추진에 대한 최초의 동인과 동력이 그들 자신에게서 나왔던 경우라고 할 수 있다. 그러나 김현종의 자서전을 참고하든 정태인 등 관련된 사람들의 증언을 참고하든 간에 상황은 그렇지 않다. 상공회의소나 무역협회 등 사실상 정부가 조정하고 있는 경제 단체들, 혹은 조금은 독자적으로 움직이는 전경련 같은 데에서 한미 fta가 먼저 제시되거나 제안된 것은 아니다.

순서를 따지면 인수위원회의 어떤 사람들이 김현종을 한국으로 초청했고, 그가 노무현을 설득했고, 노무현이 다시 자신의 측근과 정치인들을 설득한 것이 실제로 진행된 순서이다. '무역으로 먹고사는 사람들'이 적극적으로 찬성 의견을 낸 것은 그 후의 일이다. 이 과정에서 산업자원부 장관을 거쳐 무역협회 회장을 지내고 fta민간대책위원회 공동위원장을 지낸 이희범이 결정적인 역할을 하게 된다. 물론 형식은 민간인이고 민간 기구이지만, 본질적으로는 정부에서 광범위하게 민간 부문에 찬성 의견을 내라고 모종의 공작을 한 것이 사실 아닌가? 마찬가지로 한미 fta 찬성 쪽 초기 이론가들 역시 정인교처럼 대부분 외교부 혹은 관련 연구원 출신 인사들이었다. 민간 쪽에서 한미 fta를 충분히 연구하였거나 그 필요성을 절감하고 정부 쪽을 움직여서 이 조약이 추진된 것은 아니다. 민간은 사실 한미 fta에 대해서도, 협상 과정에서 문제가 된 ISD에 대해서도 잘 몰랐다. 정부와 관속 학자들이 먼저 분위기와 자료를 만들고, 민간 쪽에서는 "아, 그렇다면 우리에게도 도움이 될 수 있겠구나!" 하고 국내 의견이 움직여 나갔다. 독자 중에는 기업인도 있을 것이고, 상공회의소나 무역협회 혹은 전경련에 근무하시는 분도 있을 것이다. 그리고 그중에는 이런 기관의 중간 간부 이상도 계실 테고. 자, 가슴에 손을 얹고 생각해 보자. 한미 fta에 대해서 정부가 필요성을 설파하고 실제로 협상에 나선다고 하기 전에, 이것이 반드시 필요하다고 생각했었는지? 혹은 노무현 정부에서 한-칠레 fta를 추진하기 전에, 과연 fta라는 것의 존재를 어느 정도나 인지하고 있었는지? 아니면, 나프타를 보면서, 진정으로 우리도 멕시코나 캐나다처럼 미국의 무역권 내에 들어가면 좋겠다고 생각했는지? 한번쯤 가슴 깊이 생각해 보기 바란다. 심지어 외교부 직원들도 초기에는 한미 fta 추진이 무리한 일이라고 생각했던 것으로 알고 있다.

한미 fta는 한국 경제의 자체적 흐름과 내부적 힘에 의해서 자연스럽게 도출된 것이 아니라, 정치적 힘에 의해서 외삽된 것이다. 미국에 의해서 외삽된 것도 아니다. DJ가 한미 BIT를 거부한 이후, 그리고 OECD 차원에서 다자간 투자 협정으로 진행된 MAI가 좌초된 이후, 미국은 한국과 fta 같은 무역 협정을 전격적으로 체결할 마음도 계획도 없었다.

한미 fta를 둘러싼 수많은 괴담과 함께 음모론이 횡행한다. 그러나 지금 우리가 동의할 수 있는 것은, 최소한 한미 fta의 출발이 국민 경제 내부의 힘에 의해서 자연스럽게 나온 것은 아니라는 점이다. 물론 한미 fta는 경제적 효과가 있고 경제 협약이기는 하지만, 그 추진 동기가 경제 영역에서 나온 것은 아니다. 그럴 리가? 그러나 현실이 그렇지 않은가? 한미 fta는 정부가 참여하기로 결정했고, 그 정부는 대통령과 측근, 그리고 김현종 등 통상교섭본부 상층 지도부로 구성된다. 이 흐름이 한국 경제의 다음 과제와 연결되어 있다는 것은, 삼성 이건희 회장이 유포한 '샌드위치 위기론'이다. 한국에서 한미 fta에 대한 대부분의 논의는 이 기본 축 위에 세워져 있다.

독자 여러분 중에 한미 fta 재협상을 지지하거나, 처음부터 없었던 일로 되돌리는 완전 폐기를 생각하시는 분들이 많을 테지만, 드물게는 한미 fta에 대한 강력한 믿음을 가지신 분도 계실 것이다. 굳이 독자 개개인 혹은 우리 모두의 무의식을 뒤집어 보려는 것은 아니지만, fta를 찬성하시는 분의 경우, 자신이 언제 fta 혹은 한미 fta라는 개념을 알게 되었는지, 어떠한 이유로 찬성하게 되었는지 곰곰이 생각해 보셨으면 한다.

한미 fta는 우리에게 경제 내부의 힘으로부터 온 것도 아니고, 외부의 경제적 힘으로부터 온 것도 아니다. 이것은 정치로부터 왔으며, 밀실로부터 왔고, 협상과 비준, 발효에 이르기까지, 비경제적 요소에 의해서 지배된 협정이었다. 원래는 경제 협상이 되는 게 맞지만, 외형만 경제였다. 미국을 통한 '경제 영토 확장'이라는, 경제와는 별 상관 없는 소제국주의적 발상에서, 마지막 비준 단계에서는 미국과의 동맹 강화 효과, 소위 '맹방 논리', 이런 국제 정치적 고려만 남은 정치 협정의 모습으로 우리에게 등장한 것 아닌가?

물론 경제적 행위나 정책 중에 순수하게 경제적 요소만으로 구성된 것은 거의 없다. 좋은 의미든 나쁜 의미든, 정치와 경제 혹은 사회·문화적 요소들이 복합적으로 작용하게 된다. 그러나 한미 fta의 경우는 그 출발부터 비준까지, 경제라는 개념의 껍데기만 입고 있을 뿐 경제 협약으로서의 고려나 고민은 거의 없었다. 그래서 나는 이 경제 협약이 공포스러운 것이다.

모범택시가 난폭 운전을 하는 것은 두 가지 경우이다. 먼저 운전이 너무 익숙해져서 모범 운전과 관련된 규정을 소홀히 하는 경우. 또 하나는, 불법으로 모범택시 면허를 발급받은 경우. 한미 fta는 한미 양쪽 모두 상대방을 배려하지 않았고, 안정적이며 지속적으로 서로가 이익을 누릴 수 있는 형태와 안전장치를 갖추지 않은 방식으로 진행되었다. 물론, 미국이나 한국이나 공무원들은 자신들이 모범택시의 베스트 드라이버라고 얘기하고, '전문가 중의 전문가'라고 얘기한다. 외형상으로는 기막힌 모범택시들의 양상이 아닐 수 없다. 물론 그냥 하는 말이다.

미국의 경우는, 너무 운전을 잘해서 모범 운전이라는 딱지를 걸고도 무법에 가깝도록 질주하는 경우라고 할 수 있다. 한국의 경우는, '노회한 승부사'니 '최고의 국제 변호사'니 자화자찬의 딱지를 붙이고 있었지만, 국제 무역 특히 fta에서는 초보에 가깝다.

초보가 동네 길도 잘 모르면서 모범 운전사 흉내 내며 이리저리 과속하는 것, 그게 한국 외교부의 모습 아닌가?

2장

고질라는 언제 등장하는가

fta 한 스푼

고질라는 언제 등장하는가

    봉준호의 영화 〈괴물〉에서 괴수 영화 중에서는 이례적으로 영화가 시작하고 얼마 되지 않아 괴물이 전격적으로 스크린에 등장한다. 좀 특이한 경우이다. 대부분 괴수는 영화가 절반쯤 지난 다음에 자신의 전체 모습을 보여 주기 시작한다. 그동안 관객들은 감독이 보여 주는 여러 가지 단서를 가지고 괴수의 모습을 상상한다. 공포는 상상 속에서 더욱 커지게 마련이다.

    이렇게 영화에 등장하는 괴수들 중에 고질라가 있다. 태평양에서 미국이 수소 폭탄 실험을 하면서 잠자던 공룡을 깨우고 변형시켰다는 출생의 기원이 있다. 물론 말할 것도 없이 히로시마와 나가사키에 떨어진 원자 폭탄 투하를 전제한다. 원폭 피해자라는 전제와 함께 전쟁 피해자와 반미를 은유한다. 1954년 고질라가 처음 등장하였을 때, 일본 국민의 10%가 그 영화를 보았다.

1995년 프랑스에 우파 정부가 들어서면서 '컴퓨터 시뮬레이션을 위한 자료 수집'을 명목으로 남태평양에서 핵폭탄 실험을 하게 된다. 1998년 미국판〈고질라〉는 바로 이때의 핵실험으로 인하여 태어난 괴수를 주인공으로 하고 있다. 한국의 '괴물'이 미군의 화학 약품 방출에 의한 돌연변이의 등장을 전제하고 있는 것처럼, 많은 괴수 영화는 반전이나 평화의 메시지를 담고 있다. 물론 괴물이 등장한다고 해서 모두 평화의 메시지를 담고 있는 것은 아니다.

리들리 스콧의〈에일리언〉(1979) 1편의 경우는 미학적인 완성도는 높지만, 사상적으로는 고질라 얘기와 정반대의 위치에 서 있다. 전형적인 냉전 시대의 영화인데, 사람 안에 에일리언이라는 외계 생명체가 기생하고, 그 존재 자체를 붕괴시킬 수 있으며, 또한 지독하게 전염성이 높다는 설정은, 공산주의에 대한 미국인의 공포감을 반영하고 있다. 미래 디스토피아를 그려 낸〈블레이드 러너〉와도 전혀 다른 결의〈에일리언〉1편은 냉전 시대의 상업적 성공을 위해서 기댈 수밖에 없던 레드 콤플렉스를 반영한다. 공산주의 사상은 자신도 모르게 사람의 육체 속으로 들어온 에일리언 같은 존재로 표상된다. 괴수 영화들이 평화주의 위에 서 있는 경우가 많다면, 외계인 영화는 2차 세계 대전의 출발점부터 반공 사상 위에 서 있었다. 1960년의 〈저주받은 도시(Village of the Damned)〉는 냉전 시대의 외계인과 관련된 레드 콤플렉스를 잘 보여 준다. UFO가 지나갈 때 태어난 아이들은 모두 이상했고, 결국은 이들을 죽일 수밖에 없는 비극이 벌어진다. 〈에일리언〉 1편은 철저하게 반공 영화였고, 〈고질라〉와는 달리 심하다 싶게 핵무기 찬양 영화였다. 영화 마지막 장면의 보너스 샷! 주인공들을 지긋지긋하게 괴롭히던 에일리언이 들끓는 적들의 소굴을 향하여 장렬히 원자 폭탄 한 발…. 스타 크래프트의 뉴클리어 사일로는 실제로 그렇게 효율적인 무기 체계는 아니지만, 어쨌든 머나먼 미래로 설정된 〈에일리언〉의 세계에서 원자 폭탄은 지긋지긋한 괴물들을 한 방에 날려 주는, 영화의 보너스 샷이다. 할리우드는 물론 리들리 스콧도 이제 이렇게 무지막지한 영화를 만들지 않는다. 하지만 『조선일보』가 2012년에 펼쳐 보이는 한국의 세상은 여전히 〈에일리언〉 1편의 세계와 같다. 어마어마한 능력을 가진 외계 생명체가 한국의 청년들을 붉은 사상으로 물들이고, 그들이 서식하고 있는 행성은 결국 핵폭탄으로 화끈하게 날려 버려야 하는….

한미 fta는 전형적인 괴수 영화의 구조이다. 이게 유토피아라고 생각하든 디스토피아라고 생각하든, 혹은 6·25 때 미군에게 도움을 받았으면 우리도 어느 정도 손해는 감수해야 하는 거 아니냐는 60대 할아버지의 말이든, 당장 변화가 나타나지 않는다는 것은 알고 있다. 영화로 치면 6년간에 걸친 프롤로그가 끝나고, 그야말로 기승전결의 기가 시작된 단계이다. 물론 봉준호의 영화처럼, 언제 한국 사람들이 그렇게 느긋하게 괴물의 등장 순간을 음미할까 하면서 바로바로 괴수의 모습을 전면적으로 등장시키는 경우도 있다. 그러나 괴수 중의 괴수, 가장 성공한 괴수 영화의 주인공인 고질라가 언제 시작하자마자 바로 모습을 보이던가? 무엇을 기다리며 보든, 괴수 영화에는 반드시 괴수가 등장하게 된다.

독자 중의 어떤 분은, 한미 fta라는 극장에서 로맨스 코미디를 생각하고 자리에 앉아서 팝콘을 먹는 것과 같은 기분으로 편안하게 앉아 있을 것이다. 어떤 사람은, 언젠가 내가 미국에 가서 살게 된다면, 아니 내 자식이 미국에서 살게 된다면 하고 '아메리칸 드림' 버전의 〈자이언트〉 같은 성공담을 생각하는 분도 있을 것이다. 혹은 좀 더 영악하게, 지금까지 했던 영어 공부를 써먹는 순간이 언젠가는 오겠지 하고 사교육의 나라답게 사교육 버전으로 생각하는 분도 있을 것이다.

한국에서 한미 fta를 가장 적극적으로 다룬 영화는 〈두사부일체〉 시리즈 3편인 〈상사부일체〉(2007)로 기억한다. 물론 도입부에, 이제 미국 마피아들이 한미 fta로 몰려오는 시기에 한국 조폭들도 세계화 전략을 써야 한다는 장면으로 나올 뿐이지만, 이 정도가 스크린 내에서 한미 fta를 다루었던 거의 전부이다. 뭐, 영화는 해피엔딩으로 끝나고, 계두식은 수정이라는 나름 멋진, 경찰 간부의 딸과 연애에 성공한다. 영화에는 대기업 노조가 등장하고, 다국적 기업도 등장하고, 조폭도 등장한다. 비현실적인 얘기지만, 경찰이 개입해서 노조를 괴롭히는 대기업 기획실장을 체포해 간다. 우리가 꿈꾸었던 세상이 잠시 펼쳐졌는데, 영화 후반부에서 한미 fta는 사라져 버린다. 2007년, 그것은 '언젠가 등장할, 뭔지 모르지만 약간 후달리는 것'이라는 실루엣으로만 나타난다. 한미 fta에서 다국적화된 대기업의 횡포, 기업의 노조 파괴 공작 등 한국 경제의 어두운 부분에 대해서 나름 포착하고 있던 이 영화에서 한미 fta는 프롤로그의 모티브였을 뿐이다. 상상해보자. 만약 이 영화의 제작 시기가 리먼 브러더스가 파산한 2008년 이후였다면 과연 한미 fta를 어떻게 다루었을까? 매우 특별한 이 조약이 영화에서 조금 더 전면적으로 등장했을까? 우리는 이미 답을 알고 있다. 상업 영화의 세계에서는 조폭 얘기든 로맨스 얘기든, 실루엣 형태로라도 한미 fta를 다루지 않았다. 그렇게 복잡한 얘기를 해서는, 이미 대기업 위주로 재편된 영화 시장에서 펀딩을 받기가 어렵게 되었다.

고질라는 괴수 영화의 대표적 스타이다. 일본, 미국, 요즘에는 프랑스와 남태평양에까지 등장하는, 글로벌을 상징하는 괴수이다. 게다가 미국 버전의 고질라에는 한국의 원양 어선이 잡았을 참치의 캔도 등장했다. 내 눈에 비친 한미 fta는 고질라 영화와 같다. 그리고 일반적인 괴수 영화와 마찬가지로, 고질라는 영화 초반부터 전면적으로 등장하지 않는다. 눈치 빠른 관객들은 감독이

슬쩍슬쩍 보여 주는 실루엣 사이로 고질라를 보았을 수도 있지만, 대부분은 아직 괴수의 모습을 보지 못했을 것이다. 은서가 괴물에게 납치당하기 전 한강 둔치 공원의 평온한 모습과도 같다고 할까? 고질라는 언제 등장하는가?

이제 와서 각 분야별로 이건 손해고 이건 이익이라고 따지는 것은 무의미할 것 같다. 그게 필요 없어서가 아니라, 외교부가 설정한 분야별 접근 방식이, 우리 앞에 이미 등장하기 시작한 고질라의 모습을 보지 못하게 했기 때문이다. 자, 지금부터 나는 독자 여러분에게 현미경으로 들여다보게 만든 화각을 뒤로 빼서, 광각의 스크린으로 원거리에서 한미 fta라는 영화를 재구성해 보려고 한다.

이 시점에서 하버드 대학에서 진행된 〈보이지 않는 고릴라〉 실험을 다시 생각해 보지 않을 수 없다. 혹시 이 동영상을 아직 못 보신 독자께서는, 잠시 쉬면서 흰옷을 입은 사람들이 농구공을 몇 번 패스했는지 세어 보시기 바란다. '고질라는 언제 나타나는가?'를 위한 연습 게임 정도로 생각하시고…. (http://www.theinvisiblegorilla.com/gorilla_experiment.html)

1) fta, 하거나 말거나…

나에게 fta를 반대하느냐고 물어보는 사람들이 있다. 별 의미는 없는 질문인데, 그때마다 어떤 fta인가가 중요하다고 대답한다. 이 점에서는 손학규가 민주당 대표 시절에 말했던 "손해 보는 fta 는 안 된다"가 정답이다.

'높은 수준의 fta'라는 표현을 김현종도 쓰고 외교부 직원들도 쓴다. '높은 수준'이라면, 보통은 '더 발달된' 혹은 '더 진보된'이 라는 의미를 가지는데, 정확히는 '강한 수준'이라고 해야 맞을 것 이다. 미국이 들고 오는 fta는 터프한 것이고, 일반적으로 우리가 의미하는 fta보다는 좀 더 강력한 것이다. 내용이 강력하기도 하 고, 상대방이 미국이라는 초강국이라서 터프하기도 한 것이다. 만약 우리가 싱가포르 같은 도시 국가 혹은 아프리카의 어느 한 나라와 fta를 체결한다고 생각해 보자. 내용이 아무리 터프하더라 도, 언제든 재협상을 하거나 폐기해 버릴 수 있을 것이므로 그렇 게 호들갑을 떨거나 죽어도 안 된다고 얘기할 일은 없을 것이다.

무역 장치로서의 fta에 대한 나의 소신은 '하거나 말거나'이다. fta를 체결하든 안 하든 별로 달라지지 않는다. 그럴 리가 있나? 기본적으로 fta는 GATT 내의 관세 동맹이기 때문에 관세를 없애 는 효과를 만들어 낸다. 물론 관세가 줄면 제품 값이 내려가기 때문에 기계적으로 계산하면 그만큼 수출이나 수입이 늘어나게 된다.

개발도상국은 보통 8% 수준의 관세율이 적용된다. 이건 WTO 라는 세계 무역 체제를 만들면서 일반 관세가 이 수준이라서, 우리나라도 이 정도의 관세율을 가지고 있다. 반면에 선진국은 관세를 낮춘 상태를 유지하기 때문에 1.5~2% 정도의 관세를 물린다. 비슷한 수준의 나라끼리 fta를 맺으면 두 나라 제품 체계의 보완 효과나 경쟁 효과로 인해 복잡한 일이 벌어질 수 있다. 보통은 보호를 목적으로 특별 관세를 유지하는 농업 부문 등 특수 분야에서 어떻게 될 것인지 복잡하게 따지게 된다. 한-칠레 fta의 경우, 칠레의 포도나 포도주가 한국 농가에 미칠 영향을 중심으로 쟁점이 되었던 것을 기억하면 될 것이다.

반면에 선진국과 우리나라가 fta를 맺게 되면, 일반 공산품을 중심으로 우리는 8%의 보호 장치를 없애고, 상대방에서는 2% 정도의 가격 인하 효과가 있으므로, 기계적으로 보면 우리가 손해다. 물론 찬성 측은 그 대신 상대편 시장이 크다고 말할 것이다. 기계적으로 계산하면 그 말이 맞을 수도 있지만, 현실적으로 무역상으로는 우리가 손해를 보게 된다. 많은 경우, 행위가 선형 즉 직선인 경우와 선형이 아닌 경우가 있기 때문이다.

간단하게 그림으로 생각해 보자.

가격이 올라갈 때 판매량이 어떻게 증가하는가에 대해서 두 가지 패턴이 있을 수 있다. a패턴은 선형 행위 함수를 보여 준다. 가격이 조금 내려가든 많이 내려가든, 판매 행위의 변화는 일정하다. b패턴은 비선형인 경우인데, 우리의 상식에 더 부합한다. 가격이 조금 내려갔을 때에는 소비자들이 별로 반응을 보이지 않다

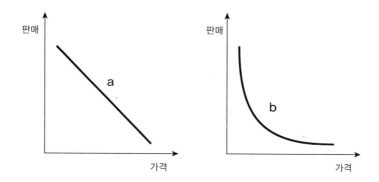

가, 가격이 일정 수준을 넘어가면 급격히 행위를 바꾸게 된다. 우리의 직관이나 상식에는 이런 비선형이 더 부합한다. 『경제원론』 앞부분을 펼친 적이 있다면, b패턴처럼 생긴 수요 함수 그래프를 보았을 것이다. 나도 요렇게 생긴 그래프를 다루면서 경제학과 학부에서 박사 과정까지 마쳤기 때문에, a패턴처럼 선형으로 생긴 행위 함수는 오히려 익숙하지 않다.

이런 행위는 충동구매와 대형 할인 매장의 덕용 포장 상품이나 미끼 상품을 이론적으로 설명해 준다. 10원 싸게 해 준다고 하면 시큰둥하던 사람들이, 50원 싸게 해 준다고 하면 지갑을 열기 시작한다. 어차피 유통 기한 내에 다 먹지도 못할 텐데, 6개씩 한 묶음으로 50원 싸게 팔면 소비자들이 그걸 집어 들 확률이 커진다. 그야말로 화끈하게 낮추면 화끈한 반응을 기대할 수 있으리라.

이런 비선형적 관계에서 미국과 한국이 똑같이 관세를 낮춘다는 것은 한국 시장을 미국에 확실히 개방한다는 의미가 된다. 미국 시장이 아무리 크다 해도 1~2% 낮추는 효과가 그렇게 크지 않은 반면, 한국은 8%를 낮추기 때문에 효과가 즉각적으로 나타난다.

미국 시장이 워낙 크기 때문에 우리에게 낮아지는 미국의 관세율이 작아도 상관없다고 하는 사람들은, 경제학 교과서에 나오는 비선형 관계와는 사뭇 다르게 생각하는 것이다. 관세가 1.5% 낮아지면 어느 정도의 효과가 날 것인가?

교과서적인 의미에서의 완전 경제 시장, 즉 모든 행위 참여자가 가격을 수용할 수 있는 price-taker인 경우에는 1.5% 아니라 단 0.5%의 하락으로도 큰 변화가 있을 수 있다. 100원이나 10원, 그보다 작은 단위에서도 계산하는 경우가 있다. 물론 이론적으로는 그렇지만, 우리가 언제 시장에서 물건을 살 때 단 1%에 의해서 의사 결정을 하게 되던가? 솔직히 생각해 보자. 인터파크나 G마켓 같은 인터넷 쇼핑몰에서 '낮은 가격으로' 정렬해서 한 푼이라도 더 싼 물건을 사 본 경험이 있으신가? 물론 그건 같은 물건에 대해서 그렇다. 같은 물건이라면 조금이라도 싼 딜러에게 사려고 하지만, 같은 물건이 아닐 때에는 다른 조건들도 살펴보게 된다. 같은 물건이라고 해도 정품보다 훨씬 싼 리퍼 상품이나 전시 물품을 선뜻 구매하게 되지는 않는다. 제품 품질이나 AS의 안정성 등 비가격 요소들이 상품 구매에 더 많이 개입하게 된다.

90년대, 세계화가 진행되면서 제조업 분야에서 확연하게 드러난 현상은 독과점화가 심화되었다는 것이다. 당장 우리가 강조하는 자동차나 휴대 전화 같은 분야만 해도 그렇다. 과점 시장에서는 가격보다 비가격 요소가 더 중요해진다. 이 같은 흐름은 앞으로 더욱 강화될 것이다. 대량 생산 대량 소비의 포디즘에서 소량 생산 소량 소비의 탈포디즘 단계로 들어섰다. 아이폰이나 아이패드, 캐논이나 니콘의 DSLR을 사는 사람들이 1~2%의 가격 때문에 제품 구매를 결정하지는 않을 것이다. 네트워크 효과나 경로 의존성, 순수 문화 효과 등 가격과는 상관없는 다른 요소들이 구매에 더 많이 개입하게 된다.

가격 효과와 비가격 효과, 이 중 비가격 효과에 의한 제품 경쟁력이 사람들이 입버릇처럼 달고 다니는 '고부가 가치'의 척도이다. 가격이 조금만 바뀌어도 다른 경쟁사 제품으로 대체되는 것, 이건 고부가 가치로 가는 길이 아니다. 1~2%의 가격 상승에도 든든하게 버텼던 것, 그게 세계 경제에 신화로 남았던 90년대 버블 공황 시절 일본 제품의 경쟁력이었다. 엔화가 계속 오르는데도 일본 제품들은 잘 버텼다. 물론 쉽지는 않지만, 국민 경제의 고도화 혹은 고부가 가치화, 그건 비가격 경쟁력을 높이는 것에서 생겨난다.

솔직히 우리가 한미 fta를 통해서 국내 시장을 내주고 미국 시장에서 얻을 수 있는 관세 인하 효과는 환율 조작극이라고 의심받고 있는 원화 등락폭 수준 정도의 효과밖에 안 된다. 사실 노무현 시절에 한국 경제가 소위 '샌드위치 위기'라는 방식으로 정말 위기가 온다고 생각했으면, 상대방의 관세를 낮추어서 한국 제품을 팔겠다는 '동시 다발적 fta'가 아니라 비제품 경쟁력을 높이는 전략으로 가는 게 맞았다. 그리고 그 과정에서 가격 경쟁력이 생겨날 가능성도 높다. 다른 나라보다 먼저 미국 시장을 차지해서 그동안에 중국과 일본의 경쟁을 뚫고 살아남겠다는 건 너무 기계론적인 생각이고, 생산과 판매 즉 장사라는 것의 총체성을 무시한 외교관적인 발상이었다.

2 대 8의 효과라고 한다면, 기본적인 한미 fta의 무역 효과를 상징적으로 보여 줄 것이다. 저쪽 가드는 2만큼 낮추고, 우리 가드는 8만큼 낮추고…. 권투에서 이렇게 하면 맞아 죽는다. 무역을 위한 효과만으로 볼 때 다자간 협상인 WTO 일반 무역 체제에 있는 게 낫지, 먼저 가드 내리고 들어갈 필요는 없는 일이다.

외교관들은 기본적인 상식을 가진 정치인들을 "이제는 fta가 대세다"라는 말로 설득했다. 물론 그것도 김현종의 생각이었을 뿐이다. 일본, 대만, 심지어 중국마저도 미국과의 fta는 한국의 상황을 보고 결정하려고 한다. 2006년 이후 일정한 규모의 경제권 중에서 fta 하겠다고 설치고 다닌 나라는 한국과 미국밖에 없다. 냉정하게 얘기하면, 선진국 중에는 김현종이나 김종훈 같은 외교관한테 속아서 국민 경제의 중대한 결정권을 넘겨주는 어수룩한

나라가 없기 때문이다. 그게 그렇게 좋으면 EU가 먼저 미국과의 fta를 추진하지 않았겠는가? EU 국가들 중에는 한국보다 더 절박하게 미국과의 fta를 원하는 국가도 있을 것이다. 게다가 EU 기업이나 한국 기업이나, 미국의 관세 인하에 대해서 입장이 다를 게 별로 없다. 정부는 자국의 시장을 지키며 적절하게 수출을 늘리고 싶은 동인이 있지만, 기업은 국내 시장에서 특별히 경쟁 관계에 있는 경우가 아니라면 무조건 관세를 없애고 싶은 것이다. 수입이 늘어나면 수입업자의 매출액도 늘어난다. 근데 한국과 fta를 맺은 EU가 왜 미국과는 fta를 맺지 않을까? 국민이 농업 개방을 반대하자 미국과의 fta 협상을 중단시킨 스위스는 반무역 국가이고 반개방 국가인가? 기본적으로는 한국의 외교관들이 관세 인하의 효과를 지극히 기계적으로 이해한 것에서 이 이상한 아이러니가 출발한다.

EU와의 fta는 보나마나 무역상으로 우리가 손해를 볼 것이라고 생각했다. 미국의 경우와 마찬가지이다. 그런 이유로 나는 한-EU fta도 반대했었다. 그러나 당시 민주당 원내 대표인 박지원이 "어차피 fta는 국익에 도움이 되는 거 아니냐"며 밀실에서 통과시켜 주었다. 실제로 한-EU fta 발효 뒤 9개월 동안 전년도 같은 기간에 비해 흑자가 100억 달러 이상 줄었다. 당연한 결과이다. 그렇다고 이것 때문에 나라가 망할 거라고는 생각하지 않는다. 소비자들이 구매하는 데 비탄력성과 비가격 경쟁력이 작용하기 때문에 관세 인하 시장에서 곧바로 판매 증가로 이어지지는 않는다. 어차피 샤넬 백이나 루이뷔통, 코냑을 사는 사람들은 가격이 폭등하거나 폭락하지 않는 한 꾸준히 구매한다. 이런 걸 '비탄력적'이라고 한다. 경제학과 학부 1학년 때 배우는 이 현상으로 인해서, 관세를 인하해서 생기는 이익을 수입업자가 가져가므로 소비자 가격이 내려가지는 않는다. 한-칠레 fta 이후로 칠레산 포도주 가격이 내려가지 않는 것도 같은 이유이다. 자연스러운 현상이다.

만약 정부가 소비자 후생이라는, 교과서에는 없는 개념을 억지로 적용해서 수입업자들이나 유통업자들에게 이익을 포기하고 소비자 가격을 낮추라고 하면 진짜로 큰일 난다. (경제학 교과서에는 소비자 잉여, 생산자 잉여라는 개념이 나오지만, 외교부에서 주장하는 것과는 상이한 개념이다.)

국제적으로 특수 분야로 분류해서, 일반적인 상품 접근과는 전혀 다른 예외 조건을 폭넓게 허용해 주는 농업을 제외한다면, 일반 공산품의 경우는 fta를 하거나 말거나 난 별로 상관하지 않는다. WTO 출범 때 모든 회원 국가가 합의했던 내용들이 전격적으로 바뀌지 않는 한 세계적으로 관세는 계속해서 약화되고, 궁극적으로는 폐지되는 방향으로 갈 것이다. 10년이 걸릴지 20년이 걸릴지 모르지만 관세는 결국 사라지는 방향으로 가고 있다. WTO 후속 조치인 도하가 지지부진한 것은 관세를 지키기 위해서가 아니라 농업 분야에서 모두가 만족할 수 있는 절충안이 도출되기 어렵기 때문이다.

자, 다시 한 번 물어보자. 나는 fta를 반대하는가? 원래 의미의 fta, 외교부의 표현을 빌리자면 '낮은 수준의 fta'의 경우에는 하든 말든 별로 상관하지 않는다. fta로 한국의 무역 흑자는 줄어들겠지만, 그것 때문에 우리가 망하지는 않는다. 다만, 외교관들이 설쳐 대는 바람에 한국 경제의 호시절이 끝났다고 본다.

나도 국제 협상이 주업무이던 시절이 있었지만, 외교부 간부들처럼 이상한 수출 중심주의 사고를 하지는 않는다. 수출은 국민 경제를 구성하는 수많은 변수 중의 하나이지, 여기에다 모든 성과를 연동시키는 터프한 방식은 2010년대의 경제 구상에는 어울리지 않는다.

2) 미장센과 미필적 고의

한미 fta가 한국 경제에 도움이 되는가? 이 질문에 fta라는 일반 틀만으로 곧바로 답하기는 쉽지 않다. 그렇지만 단기 효과로는 무역이 늘어날 것이라고 말할 수 있다. 이건 확실하다. 그리고 지금의 관세 구조로는 수출보다 수입이 더 많이 늘어나기 때문에 무역 흑자는 줄어들 것이고, 경우에 따라서는 무역 적자로 전환될 수도 있다는 것이 상식적인 추론이다. 외교부 공무원들처럼, 미국 시장이 훨씬 크니까 괜찮다는 건 가격에 따른 비선형 효과를 고려하지 않은 기계적인 사유이다. 최소한 상품 관계에서는 우리가 1차적으로 손해를 본다는 것은, 학부 1학년 수준에서의 상식적인 답이다.

여기에 개방 정도에 따라서 상품을 넘어 서비스 시장이 개방될 수 있다. 원래 노무현 정부는 의료와 법률은 물론 영어 학원이나 과외 시장 같은 사교육 시장까지 개방하려고 했다. 의료가 개방되면 한국의 한의원이 미국에서 영업을 할 수 있다고 하여 한때 fta에 가장 적극적으로 찬성 의견을 보이기도 했다. 물론 부분적으로 이익을 내거나 혜택을 보는 분야가 있을 수 있지만, 서비스는 미국이 세계 최고인 분야가 많다. 영화나 드라마를 생각해 보면 된다.

서비스를 추가해서 생각하면 한국의 손해는 더 커진다. 물론 개별적으로 몇 명은 미국이라는 새로운 조국을 얻게 되거나, 한국에서는 누리지 못했던 직업적 전문성을 활용할 수 있는 기회를 얻기도 할 것이다. 그러나 그건 경영학에서 개별 기업을 대상으로 할 때, 헤드헌터의 시각 아니면 '너만 잘하면 된다'는 자기 계발서의 시각이다. 경제학은 그렇게 작동하지 않고, 전체적인 수치 혹은 평균값을 중심으로 판단하게 된다.

여기에 농업의 붕괴, 공공 부문의 위기와 같은, 일반적인 무역 효과에서는 따지지 않는 사회 경제적인 구조 변화를 추가하게 된다. 이런 구조적 변화에는 아무래도 연구자의 가치 판단이 들어가게 마련이다.

어쨌든 관세 철폐, 서비스 개방 등 기본적인 분야들을 중심으로 생각할 때, 비경제적 효과 혹은 극단적인 장기에서 지금의 학자들이 전혀 예상할 수 없는 변화들을 배제하는 경우, 한미 fta는 최소한 한국 경제의 무역 효과에 대해서는 그렇게 남는 장사가 아니다. 물론 한국의 보수들처럼, 미국한테는 6·25 때 은혜를 입었으니 손해를 봐도 괜찮다거나 군사적 맹방으로 인한 이득이 더 크다고 생각할 수는 있다. 그러나 그건 기본적으로 비경제적 관계이다. 일단 계산할 것은 정확히 계산하고 나서 다른 효과들을 고려하는 게 타당한 추론 방식이다.

나는 지금 이단적인 접근을 시도하거나, 『자본론』에서 툭 튀어나온 듯한 노동 가치에 의한 기이한 계산을 얘기하는 것이 아니다. 이데올로기를 완전히 배제하고 경제 원론 방식으로 상황을 따져 보면, 경제적으로 한미 fta가 이득이라는 말이 나올 수 없다.

괴수 영화로 비유하면, 스크린의 불이 켜지자마자 우리의 주인공 혹은 안타고니스트가 그 전모를 드러낸 것이라고 할 수 있다. 잠시만 생각해 보면 금방 알 수 있다. 컴퓨터의 도움이 필요한 것도 아니고, 통상 전문가가 되어야 아는 것도 아니다. 경제학과 학부 3학년이면 한미 fta가 경제적으로 유리하게 되기 어렵다는 것을 금방 알 수 있다. 안데르센의 「벌거벗은 임금님」에 나오는 어린아이처럼 말이다. 물론 극단적으로 리카도의 비교 우위 가설 같은 것을 적용해 볼 수도 있지만, 그러면 우리는 오히려 미국에 비해서 비교 우위가 있는 고부가 가치가 아니라 저부가 가치 방향으로 가는 수밖에 없다는 것을 깨닫게 될 것이다. 그리고 이런 방식으로 한미 fta의 무역 효과가 긍정적이라고 평가한다면, 이제 곧 '한국경제론' 수업에서 배우게 될 '수출 주도형 경제 발전' 전략에 대한 칭송과 논리적으로 부딪치게 된다. 학부 3, 4학년 때 중남미의 수입 대체 전략은 실패했고, 유신 경제의 수출 주도형 전략은 성공해서 한국 경제가 발전하게 되었다는 내용을 배우게 된다. 경제학자 장하준이 한국 경제 발전의 역동성의 핵심으로 놓는 것도 바로 이 문제이고, 동일한 기준에 의해서 한미 fta를 반대하는 것이다. 만약 리카도의 비교 우위 이론을 가지고 모든 무역 증가는 좋다고 한다면, 박정희 시절 수출 주도형 경제를 이끌었던 경제개발 5개년계획 체제에 대해서 전부 새롭게 평가해야 하는 불상사가 벌어진다. 장하준만큼 노련한 어른이 아니더라도, 상식적으로 경제적 판단을 할 수 있는 '아이'라면 우리에게 "저 왕은 벌거벗었다"라고 말할 수 있다. 괴수는 존재를 모를 때 두려운 것이지, 그 형상을 보고 나면 그때부터는 무섭지 않다. 괴수 영화들이 시작하면서부터 괴수의 모습을 전격적으로 보여 주지 않는 이유이다. 그 모습을 보고 나면, 그때부터는 두려운 것이 아니라 지겹거나 역겨워진다. 그러한 것을 영화에서는 '더럽다'고 표현한다. 더러운 것과 무서운 것은 분명히 다른 종류의 감정이다.

뻔한 괴수의 모습이 잘 보이지 않는 것은, '미장센(mise-en-scène)'이라고 부르는 연출 기법 혹은 특수 효과들이 동원되었기 때문이다. 국제 협상은 그 자체로 일종의 미장센이 된 셈인데, fta의 본질이 아니라 분야별로 이익과 손해를 따지는 연출은, 외교부에서 기획한 것은 아니었을 테지만 본질을 가리는 결과가 되었다. 분야에 따라 이익을 보거나 손해를 본다는 연출은, 국민 다수에게 이익을 볼 수도 있다는 환상을 가지게 만들었다. 그야말로 '남의 불행은 나의 행복'이라는, 흔히 신자유주의가 강화한 개인주의가 만들어 놓은 기묘한 현상은 특히 농업 분야의 불행에서 극대화되었다. 농민의 손해는 도시민이나 노동자의 이익으로 나타날까? 국민 경제에서 다 같이 겪게 되는 문제가 있고, 분야별로 생겨나는 효과가 있다. 그러나 개인의 손해는 부각되지 않았고, 농민의 손해는 수출 기업의 이익 그리하여 수출 진작 효과로 연출되었다. 농민이 손해를 본다고 해서 골목 상권이나 소상공인이 이익을 보지는 않는다.

전권에서 주인공처럼 등장했던 동네 미장원을 다시 한 번 생각해 보자. 동네 미장원은 2006년부터 지금까지 그런대로 버티고 있기는 하지만, 국내 대기업의 미장업 진출과 해외 브랜치의 국내 진출이라는 위협에 노출되어 있다. 우리나라 대형 매장의 문제가 심각해진 과정에는 정부의 이상한 국수주의가 관련되어 있다. 까르푸 등 해외 대형 매장이 국내에 진출할 때, 정부는 국내 업체들을 키우고 지원해서 이들이 해외 업체를 이기면 된다고 생각하였다. 복합적으로 판단할 문제이지만, 국내 업체든 해외 업체든 대형 할인 매장에 대한 과도한 규제 철폐로 골목 상권이 난리가 났다. 미용업체에도 유사한 일이 수년 내에 발생할 것이다. 유럽의 소상공인들이 지역 경제라는 이름으로 대기업들과 싸우면서 진보 쪽으로 나간 것에 비하면, 한국의 소상공인들은 현실적으로 여전히 보수 쪽에 서 있다. 그들은 한미 fta 협상 과정에서 목소리를 대변할 만한 기관도 없고, 실제로는 대부분 fta에 찬성하는 쪽이다. 이런 게 일종의 연출 효과인데, 농업이 망한다고 해서 소상공인이 좋아지지는 않는다.

분야별로 이익과 손해를 따지고, 이것을 합산하여 플러스가 되면 된다는 논리를 만들어 놓은 묘한 미장센 속에서, 국민들은 "수출이 늘어난다잖아." 혹은 "우리는 수출로 먹고사는 나라잖아."라는 틀 속에 갇혔다. 경제원론 1장 1절에 나오는 "인간은 이기적 존재이다."라는 명제는 이 과정에서 별로 유효하지 않았다. 농업이 망하는 것이 자신의 경제생활에 도움을 주는 것도 아니고, 비정규직의 삶을 개선해 주지도 않고, 여성들의 삶을 윤택하게 해 주는 것도 아니다. 농업이 망하는 만큼 수출이 늘어나게 될 것이라고 믿게 만든 것, 그래서 분야별로 따져 보지만 정작 자신의 경제적 운명에 대해서는 따져 보지 못하게 만든 것이 한미 fta의 공적인 논의 프레임의 특징이었다. 흰옷 입은 사람들의 패스 횟수를 세던 사람들은 뻔히 눈앞에 지나가는 고릴라를 보지 못했다. 나도 아무런 사전 지식 없이 이 동영상을 보았을 때 고릴라를 보지 못했다. '보이지 않는 고릴라' 현상이 여기에서 벌어진 것 아닌가?

자동차 내비게이터만 보고 운전하다가 기차에 치인 운전자, 기가 막힌 일이지만 이런 일이 종종 벌어진다. 자동차, 섬유, 의료, 교육 등 분야별로 손실을 따져 보면서 모든 분야에 대해서 세세히 점검한 것 같지만, 사실 우리는 가장 기본적인 '바로 자신'의 분야에 대해서는 놓친 경우가 많지 않은가? 이건 일종의 의도되지 않은 연출 효과와 같다.

그러나 제일 당황스러운 것은, 이 모든 혼란의 맨 앞에 있는 무역은 과연 효과가 있는가에 대한 답이다. 수출 증가, GDP 증가, 고용 증가의 수치를 수없이 보았을 것이다. 유감스럽게도, 많은 예측 모델에서 이런 결과는 지금의 기준치가 되는 대외경제연구원의 수정된 보고서에서 딱 한 번 나왔다. 그럼에도 정부 보고서든 기업 보고서든, 그 수치를 계속 사용하고 있다.

미국 무역 대표부는 한미 fta 개시 이후 4년 후면 무역에서 90억 달러 정도 유리할 것이라고 추정한다. 대략 9조 원. 누가 어떤 식으로 계산해도 조작에 가까운 이상한 수치들을 집어넣지 않으면 이런 방향으로 나올 것이다. 그거야 미국 쪽에서 자기네에게 유리하게 계산했으니까 그러는 거 아니냐는 독자들도 있을 것이다. 물론 그럴 수도 있다. 우리가 미국 쪽의 보고서를 검증할 방법이 없으니 말이다.

그렇다면 한국 쪽의 연구는? 대외경제연구원의 보고서는 사전 발표된 것과 나중에 숫자를 약간 수정한 것의 두 가지 버전이 있다. 2006년 사전에 공개되면서 문제가 된 1버전과 숫자를 고친 2버전. 1버전에서는 대미 무역 흑자가 72.7억 달러 줄어드는 것으로 되어 있고, 부랴부랴 고친 2버전에서는 하락 폭을 약간 줄여서 47억 달러로 되어 있다.

간단히 말하면, 대미 수출도 늘어나지만 그보다 훨씬 큰 규모로 수입이 늘어나기 때문에, 한미 fta로 인하여 대미 무역 적자가 발생하게 된다는 것이다. 다만 그 규모가 애초의 계산에서는 8조 원 정도였는데, 약간 손을 봐서 5조 원 정도로 줄여 놓은 것이 대외경제연구원의 예측 결과이다.

이 연구에는 원래 호주에서 많이 쓰는 GTAP(Global Trade Analysis Project)라는 패키지가 사용되었다. 물론 GTAP 모델링과 DB 자체가 가지고 있는 문제점들을 지적할 수도 있지만, 독자 여러분을 위해서 복잡한 것들을 생략하자. 그러나 확실한 것은 정부 연구소에서 예측한 결과가 미국과의 무역에서 우리가 이득을 보게 된다고 말한 적은 없다는 점이다. 객관적이고 중립적인 민간에서 이 결과를 제대로 검증한 적은 없다. 어쨌든 정부 연구소, 그것도 외교부와 밀접한 관계를 가지고 있는 대외경제연구원의 예측 결과도 fta 체결 이후 미국으로부터 무역상 이익을 볼 것이라는 결과가 나온 적이 없었다.

그렇다면 왜 정부 연구소에서 낸 연구 결과가 미국 통상교섭본부의 연구와 비슷한 결과를 보여 주는가? 무역 관련 과거 실적과 데이터를 통째로 바꿔치기하지 않고 국제 기준에 맞추면 한국 입장에서 한미 fta의 효과가 절대로 긍정적으로 나올 수 없다. 이번 절의 앞에서 내가 설명한 것들은, GTAP 아니라 GTAP 할아버지에서도 규모의 차이만 있지 방향에서는 다르게 나올 수 없는, 자명한 일이다.

물론 데이터를 약간씩 '마사지'하면서 조작하기는 하지만, 만약 한미 fta로 인해서 한국이 무역에서 이익을 본다고 하면 경제학 연구에서는 세계적인 스캔들이 될 것이다. 규모만이 아니라 방향까지 조작한다면, 거시 경제학의 기본 틀 자체를 조작하는 것과 마찬가지이다.

대외경제연구원도 기본적인 것은 차마 조작하지 못하고, '그럼에도' 한국이 미국으로부터 많이 배울 테니까 다른 나라에 대한 수출이 늘어날 것이라는, 황당하기 짝이 없는 예측 결과를 슬그머니 끼워 넣는다. 이게 그 유명한 '생산성 증가 고려'라는 것이다.

쉽게 설명해 보자.

㉠ 한미 fta를 한다.
㉡ 대미 수입이 늘어서 한국의 무역 수지가 나빠진다.

ⓒ 그렇게 당하다 보니 한국 사람들이 똑똑해진다.

ⓡ 어쩔 수 없이 한국의 생산성이 높아진다.

ⓜ 결국 다른 나라에 대한 수출이 늘어난다.

ⓗ 대한민국 만쉐이!

그리고 이 결과물에 맞추어서 정부가 말하는 GDP 효과가 어쩌고저쩌고, 고용 효과가 어쩌고저쩌고 떠들어 댄다. 모델상 ㉠~ⓗ 가운데 외교부가 말하는 것은 ⓗ밖에 없다. 독자 여러분, 미국과의 무역에서 일단은 손해를 본다는 정부 발표나 TV 홍보를 본 적 있으신가? ⓡ의 생산성 증가 효과에 대해서 이해할 수 있게 설명을 들어 본 적 있으신가? 그래서 나는 이걸 미필적 고의라고 생각한다.

결과물을 조작하는 것은 거짓말이다. 황우석 사건의 경우는 그 유명한 '뽀샵질'에 의해서 이전의 연구가 무너졌다. fta 사건은 중요한 결과물의 일부는 일부러 보여 주지 않고, ⓡ 이후의 황당한 결과만을 보여 준 경우이다. 물론 외교관들도 할 말은 있을 것이다. "국민들이 굳이 물어보지 않았잖아요?" 그래서 미필적 고의라고 하는 거다. 결과를 뻔히 알면서도 적극적으로 알리지 않았으니 말이다.

한미 fta가 이득이 된다는 얘기는, 최소한 미국과의 무역 관계에서는 검증되지 않았을뿐더러, 자기네 연구에서도 상이한 결과가 나와서 주장할 수 없는 상태이다. 미국과의 무역에서는 손해를 본다, 이건 자기네들의 연구 결과가 아니란 말인가?

그래서 "우리는 무역으로 먹고사는…"이라는 주장도 성립되지 않는다. 대미 흑자국에서 여차하면 대미 적자국으로 바뀔 테니 결국 무역으로 먹고살기 더 어렵게 된다는 것이 기술적으로 해석한 정부 보고서의 내용이다. 정확히 얘기하면, 미국한테 당하는 과정에서 똑똑해진 한국이 다른 나라를 등쳐서 잘살게 된다는 말이다.

물론 여기에는 그 후 미국에 더 양보한 결과들은 반영되어 있지도 않다. 협상 종료 후 새로 계산해 보면, 더 황당하고 발표하기 어려운 수치가 나올 것이다. 게다가 사람들이 우려하는 ISD를 비롯한 공공 부문 위축이나 민영화 같은 얘기들은 아예 반영되지도 않았고, 순수하게 무역 효과만 고려한 것이다. GTAP 자체가 무역 효과 예상에 국한된 모델이긴 하지만, 더 확장된 CGE (Computational General Euilibrium) 모델을 복잡하게 구성한다고 해도, 이 정도의 경제 구조의 변화를 장기 예측 모델에 반영할 수 있는 알고리즘은 거의 없다. 모델링은 보통 보수적인 가설하에서 운용되므로, 누가 모델 작업을 하든 간에 ⓛ의 결과와 유사하게 나올 것이다. (ⓒ 이후는 대외경제연구원에서 무리하게 집어넣은 결과물이다.)

대외경제연구원의 연구원들은 애초에 GTAP 작업을 하면서 7조 원 가량의 대미 무역 손실을 보게 된다는 것을 알았을 것이다. 그들의 컴퓨터 화면에서 우리의 고질라는 이미 자신의 모습을 보여 준 적이 있다.

〈 KIEP 원장과 연구원의 전화 통화 신〉

연구원과 원장이 전화하는 표정을 때때로 수직 분할하여 교차 편집함.

연구원 : (전화기에 대고 다급한 목소리로) 원장님, 여기 이거, 괴수 같은데요. 모습은 흐릿하지만 고질라 같아요.
원장 : (짜증 섞인 목소리로) 시꺼, 인마, 고질라 처음 봐? 우리가 고질라 한두 번 봤어?
연구원 : (풀 죽은 목소리로) 그래도 7조 원 가량 손해가 난다고….
원장 : CG 써, CG. 일단 내가 원장일 때만 비켜가면 돼. CG 작업해서 영화만 개봉하면, 너도 대학 교수로 옮겨 줄 테니. 그럼 너도 손해는 아니잖아. 고질라가 아니라 고릴라? 아니지, 고양이가 좋겠네, 고양이로 하자. 페르시아고양이나 아비시니안, 그런 거로 하자.
연구원 : 원장님, 이게 커서 간단하게 CG가 안 됩니다. 차라리 쥐로 할까요, 커다란 쥐?
원장 : 쥐? 죽고 싶냐? 그게 그렇게 힘들면 용가리로 하자, 용가

리. 내년에 〈D-워〉인가, 하여간 용가리 영화 나온다잖아. 그건 좋아할 거야. 세계를 대상으로 한국의 신기술이 진출하는 대세계 무역 수지, 그걸로 마사지 좀 해 봐.

거듭 말하지만, 나는 fta 자체에 대해서는 찬성도 반대도 아니다. 경우에 따라서는 할 수도 있다고 생각한다. 그러나 한미 fta의 경우는 외통부가 연출한 약간의 미장센과 미필적 고의로 인하여 그 본질이 흐려져 있다는 점을 지적하지 않을 수 없다. 최소한 한미 fta에 대해서 우리는 수출로 먹고사는 나라라고 주장하는 것은 곤란하다. 수출보다 수입이 더 많이, 더 빨리 늘어나기 때문에 미국에 대한 무역 수지는 더욱 악화된다.

이 장면에서 우리의 고질라는 이미 자신의 모습을 상당 부분 보여 주었고, 눈치 빠른 사람들은 "아, 이건 괴수 영화구나." 하고 감 잡았을 것이다. 그러나 영화로 치면 초반 10분에 해당하는 이 장면을 많은 사람이 놓쳤다. "이 영화는 로맨스 코미디예요." 그리고 영화는 핑크빛 장면들을 보여 주었다. 한국과 미국의 밀월여행 같은 시퀀스들이 이어진다.

이 과정에서 한 가지 궁금한 게 있다. 지금까지 내가 알아본 바로는, 박근혜에게 한미 fta에 대해 결정적으로 자문한 사람은 새누리당의 이한구였던 것 같다. 뭐, 그가 아니라도 상관없다. 박근혜에게 조언한 사람들이 과연 미국과의 무역에서 손해를 본다는 사실을 얘기해 주었을까? 물론 나는 박근혜를 좋아하지 않지만, 아마 그 같은 얘기는 하지 않았을 것 같다. 박근혜가 그러한 사실을 알았다면 한미 fta에 대해서 그렇게 큰소리치지는 않았을 것이다.

3) 외교부의 한건주의, 이상한 카드 게임

협상이 종료되고 나서, 미국의 요청으로 재협상이 이루어졌다. 양자 관계이기 때문에 이런 일 자체가 잘못된 것은 아니다. UN이나 WTO에서 개별 협상에 대해서 이래라저래라 가이드라인을 제시하지도 않고, 중간에 중재자로 끼어들지도 않는다. 두 나라가 국제적 틀을 망가뜨리는 이상한 결정을 하지 않는 한, 양자 협상은 두 나라 사이의 협정에 관한 일이다. 그리고 한미 fta는 한국에서 미국에 요청해서 시작된 협상이다. 내용적으로 상당히 유사한 TPP(Trans-Pacific Partnership)는 미국이 일본도 참여하기를 원했기 때문에 논의가 시작되었다. 계약은 청약과 응낙의 과정으로 구성되고, 청약 즉 먼저 제안하는 쪽에서 더 많이 양보할 수밖에 없다. 스크린 쿼터, 쇠고기 수입, 약제비 조정, 미국 승용차 환경 규제 완화, 이 4가지가 한국이 협상을 시작하기 전에 미리 양보하고 들어간 4대 선결 조건이라는 것이다. 그리고 이 4가지가 DJ가 fta의 전신인 BIT(Bilateral-Investment Treaty)의 중단을 결심한 주요 사항들이었다. 참고로, 노무현 시절에 4대 선결 조건에 해당하는,

대통령이 양보해서는 안 된다고 주문했던 것은 개성공단 문제와 쌀 문제로 알고 있다. 개성공단은 통상교섭본부에서 청와대의 지시를 무시했고, 쌀 문제는 통상교섭본부가 대통령을 속인 것이다. 어차피 쌀 문제는 관세화 방식으로 WTO 차원에서 개방 일정이 진행되고 있기 때문에, 미국으로서는 한미 fta에 올릴 필요가 없는 사안이다.

어쨌든 이런 일련의 과정에서, 새로운 협상이 진행되거나 새로운 타협점이 나오면 정부에서는 다시 계산을 시작할 것이다. 1차 협상이 끝나고 계산, 2차 협상이 끝나고 다시 계산, 미국 측의 재협상 요청으로 결과물이 바뀌었으니 또다시 계산…. 지금까지 외교통상부가 자신과 신념을 가지고 얘기한 걸로 봐서는, 이러한 계산을 매번은 아니라도 몇 번에 걸쳐서 했을 것이라고 생각했다. 그러나 실상은 그게 아니었다. 지금 우리가 보는 것은 협상을 본격적으로 하기 전에 나온 수치이고, 각 분야별 협상 결과가 도출되었을 때 그걸 반영한 종합적인 결과가 아니다. 어차피 미국과의 무역에서는 손해를 본다고 나올 것이 뻔하니까 계산을 하지 않은 것이다.

통상교섭본부에서 fta 추진 과정에 입이 닳도록 말한 개념 중에 '이익의 균형'이라는 것이 있다. 문자 그대로 해석하면, 손해 보는 것과 이익 보는 것을 더해서 균형을 이루게 되었다는 의미일 것이다. 손해와 이익이 딱 맞으면 결국 합산 값이 0(Σ이익-Σ손해

=0)이라는 얘기 아닌가? 상식적으로 얘기하면, '이익의 균형'이 있는 일은 하든 말든 상관없는 일이다. 특별히 더 손해 볼 것도, 특별히 더 이익 볼 것도 없으니 하고 싶으면 하고, 하기 싫으면 하지 않으면 되는 것 아닌가?

경제학에서는 균형을 equilibrium이라고 한다. 외교부에서는 균형을 balance라고 할 것이다. 두 단어에 미묘한 차이가 있다. 대외경제연구원에서 계산한 것처럼 미국과의 무역에서 손해를 본다면 그건 균형이 아니라 손해다. 외교부의 논리대로라면 한국이 손해를 보더라도 협상은 균형(balance)을 맞출 수 있다. 이게 외교부가 주장하는 사안이다. 말이 좀 이상하지만, 이 얘기가 지난 6년 동안 한국 사람들에게 손해 본다고 계산이 이미 나와 있는 협상을 그렇지 않다고 믿게 만든 기묘한 언어의 마술이기도 했다. '주고받기를 통한 이익의 균형'은 있는데 무역상으로는 손해를 본다? 게다가 그 후에 다시는 거시 경제적 계산을 하지 않았다? 상식적인 경제학자라면, 그걸 균형이라고 하지는 않을 것이다. 그러나 그런 일이 벌어졌다.

국제 협상을 알기 쉽게 표현한다면, 카드 맞추기 게임과 같다. 서로 자기가 원하는 그림으로 카드를 맞추기 위해서 상대방이 원하는 것을 주고 내가 원하는 것을 가져오는 것이 기본적인 작동 방식이다. 그리고 양쪽이 서로 카드를 맞추고 나면 악수하고 자리에서 일어나면 게임이 끝난다.

게임 이론에 나오는 유명한 데이트 게임과 유사하기는 한데, 똑같지는 않다. 극장에 가고 싶은 여성과 복싱을 보고 싶은 남성이 있다고 할 때, 서로 자기 뜻만을 고집하면 데이트는 실패다. 그럼 플레이어 둘 다 실패한다. 하지만 어느 한쪽이 자기의 취향을 포기하면, 취미 생활에서는 손해를 보지만 데이트라는 더 큰 이득을 얻는다. 게임에서는 어느 쪽이 포기하든 상관하지 않는다. 협상 과정에서 파트너였던 미국은 협상을 데이트 게임처럼 하지 않았다. 자신이 원하는 그림이 맞춰질 때까지 무역대표부도 클린턴도 오바마도 축산업자도, 마지막까지 테이블에서 일어나지 않았다. 그들에게는 절대로 fta 협상이 데이트 게임이 아니었다. 반면에, 한국의 협상가와 노무현, 이명박, 그들의 측근은 협상을 데이트 게임 같은 것으로 이해했다. 그 입장의 차이가 처음부터 게임의 결과를 우리 쪽에 불리하게 만들어 놓았다.

이 과정에서 한국의 개별 산업이나 업체, 국민들은 게임의 카드와 같은 상황이었다. 그 그림 맞추기가 외교부가 얘기하는 '주고받기'이고, 하나 주고 하나 받는 상황이 '이익의 균형'이라는 것이다. 철학적으로는 정부의 대표단이라고 해서 개별자들의 경제적 운명을 테이블에 올려놓고 게임처럼 대변해도 좋은지 물을 수도 있다. 그것까지 뭐라고 하지는 않는다.

그러나 구조상 이 게임은 처음부터 수익이 저조할 수밖에 없었고, 실제로 결과도 그랬다. 물론 외교부나 정부는, 좋은 협상을 해서 쌀도 양보를 받아 냈고, ISD에 환경 조항 등 단서도 달았다고 자화자찬하지만, 그건 그냥 하는 말이다. 그렇다면 미국은 대단한 걸 얻었는가? 별로 그런 것 같지도 않다. 국가와 국가의 협상이지만, 한국이든 미국이든 특히 중산층이나 그 이하 계급은 손해를 보고, 다국적 기업은 이익을 많이 보게 되는 게 fta 협상의 기본 구조라서 그렇다(이 애기는 다음 절에서 자세히 하도록 하자). 과연 농업을 주고 자동차 업종의 이익을 받아 오는 게 철학적으로 타당한 것인가의 질문을 할 수 있다(실제로 자동차에서 적절한 이익을 얻었는가는 별도의 질문이고). 어쨌든 협상은 그렇다.

부당하다고 생각하겠지만, 경제학에서는 사물을 일종의 총량 개념으로 본다. 전체적으로 얼마가 가고 얼마가 왔는가를 중요하게 생각한다. 그런데 협상 과정 등 사람이 하는 일은 꼭 그렇지가 않고, 각각의 건을 한 건으로 치는 사유가 있다. 하나의 조항을 양보하면 다른 하나의 조항을 얻는 것이 협상의 기본이다. 물론 기계적으로 모든 조항에 적용되지는 않는다. 누가 봐도 큰 건은 작은 건 몇 개로 친다. 바둑에서, 패를 쓸 수 있는 자리를 팻감이라고 하는데, 집에 따라서 큰 팻감이 있고 작은 팻감이 있다. 그런 것과 유사하다.

하나를 주고 하나를 받는 것이 경제적으로 유의미하기 위해서는 매 건당 경제성 평가나 계산이 있어야 할 것 같은데, 실제 외교부의 협상은 그렇지가 않다. 협상 과정이나 협상이 끝난 뒤, 개별적으로 양보한 것과 얻어 낸 것을 제대로 분석하지 않는다.

국민들의 경제적 운명을 놓고 김현종과 김종훈이 이상한 카드게임을 한 것인데, 실제 우리가 이득을 보는지, 얼마큼이 가고 얼마큼이 오는지도 제대로 평가가 되어 있지 않다. 외교부에서 얘기하는 '이익의 균형'이라는 개념은 경제학적 개념과는 사뭇 다른데, 외교부의 이상한 '한건주의'에 의해서 줄 만큼 주고 받을 만큼 받았다는, 조항상에서의 말장난에 불과하다.

게다가 상대적으로 관심을 덜 받는 사항에서는 슬쩍 들어간 조항들도 많다. 조약문에서의 검증이라는 게 제대로 이루어진 적도 없고, 경제학의 equilibrium이라는 관점이 한미 fta에서는 실종되어 버렸다. 오로지 미국에서 손해를 보고 다른 나라에서 이득을 본다는, 이상한 계산 방식에 의한 경제적 이득 하나밖에는 없다.

이상한 사례로, 협정문 27페이지에 있는 부속서 9-나의 자동차 작업반의 경우를 잠시 보자.

3. 작업반은, 조정자들이 달리 합의하지 아니하는 한, 최소 매년 1회 소집된다. 작업반 회의는 통상적으로 WP.29 또는 양 당사국 모두가 참여하고 자동차 규제 문제를 다루는 그 밖의 양자 또는 다자간 포럼의 회의와 연계하여 개최된다. 작업반은 또한 전자우편, 화상회의, 그리고 작업반이 합의하는 그 밖의 통신수단을 통하여 업무를 수행한다.

우리말이든 영어든, 이 구절을 보고 무슨 말인지, 뭘 하겠다는 건지, 외교부가 미국에 뭘 합의해 주고 온 건지 이해할 수 있는 사람은 거의 없을 것이다. 국내든 해외든, 심지어는 이 조항이 겨냥하고 있는 유럽이든, 이 구절을 읽거나 분석한 사람이 거의 없는 걸로 알고 있다. 당사자인 EU에서 알면 대박 스캔들감이다. 결론만 말하면, 유럽이 주도하는 자동차 환경 규제 방침에 미국과 한국이 한편이 되어 반대하겠다는 말이다. 운전자라면, 엔진 광고에서 유로 포(Euro IV)니 유로 파이브(Euro V)니 하는 말을 들어 보았을 것이다. 기본적으로 유럽 자동차는 연비와 매연 등의 기준을 계속 강화하면서 미국 자동차들을 따돌리려는 전략을 취한다. 현대자동차 등 한국 자동차도 최근에는 이런 경향에 적극 동조하면서, 유럽 기준을 따라가고, 기술 마케팅 전략으로 쓰고 있다. 외교관들이 한미 fta에서 합의해 준 이 문장의 의미는, 유럽 자동차 환경 기술을 강화하는 데 미국이 '딴죽 걸고 깽판 부리면' 한국도 '꼬붕'으로 한몫 거들겠다는 것이다. 국가 전략과도 다르고, 한국 자동차 업계의 기술 전략과도 다르다. 무엇보다도 국제 협상의 추이상, 만약 미국과 협의하거나 협조해야 할 일이 있으면, 그때그때 입장을 정하면 된다. 그게 독립국이다. 근데 그걸 정례 기구로 만들고, 같이 논의해야 할 방향마저도 한미 fta에 집어넣는 것은 외교부의 월권이다. 경우에 따라 EU 편을 들 수도 있고, 미국 편을 들 수도 있고, 일본과 손잡을 수도 있다. 그리고 필요하면, '한국안'을 독자적으로 제시할 수도 있다. 조선 시대 같았으면, 외교부가 '주상을 능멸'한 행위라고 하여 협상 당사자들이 귀양 갔을 사안이다. 줄 수 없는 걸 외교부가 미국한테 주고 온 것이고, '주고받기'가 아니라 일방적으로 주고 온 것이다.

이렇게 기묘한 조항들이 협정문 전체에 차고도 넘친다. 한국의 특산물 규정에 안동소주와 경주법주만 들어가 있는 것은 협정문 코미디의 백미다. 문화적 역사가 짧은 미국이 버번 위스키를 특산물로 인정해 달라고 하자 한국측은 자기들이 아는 술 이름 두 개를 집어넣었다. 우습지 않은가? 한국에는 진도홍주를 비롯해서 뛰어난 전통주가 넘쳐나는데 말이다. 우리는 미국보다 문화적 역사가 훨씬 오래된 나라이다. 이건 국제 조약으로서 최소한의 성의는 물론이고 품위도 지키지 못한 협정문이다.

이 기묘한 일련의 일이 벌어지는 가장 큰 이유는, 노무현 정부든 이명박 정부든, 협상 체결 자체를 외교부의 성과로 받아들이는 성과주의가 그 근저에 깔려 있기 때문이다. 협상으로 생겨날 이득이나, 그로 인하여 방어할 수 있는 손실이 성과가 되는 게 맞지, 체결 자체가 하나의 성과라는 것은 말이 안 된다. 한건주의가 끝까지 가면, '동시 다발적 fta 체결' 전략의 근본적 문제인 '다다익선'과 만나게 된다.

우리의 고질라는 한 마리만 등장하는 게 아니라 번식력이 좋은 괴물이다. 아직 알에서 깨어나지 않은 새끼들이 한미 fta 협정문

내에 우글거린다. 무섭지 않은가? 나는 무섭다. 영화 〈고질라〉에서는 무성생식으로 알을 낳아 번식한다. 암컷, 수컷 없이도 그냥 알을 낳아서 무한대로 증식할 수 있다는 것이 고질라의 진짜 공포이다.

4) 미국과의 ISD, 생각하지 못한 게 있다

2011년 11월 3일, 국회에서 한미 fta 통과를 날치기 쪽으로 바꾼 결정적 사건 중의 하나는 박근혜 대표가 어느 출판 기념회에 참석하여 기자들과 나눈 대화이다. 여의도 중소기업중앙회에서 열린 그 자리에서 그는 이렇게 말했다.

"ISD는 국제 통상 협정에서 일반적인 제도로 표준 약관처럼 모든 협정에 들어가 있는 것."

유력한 대선 후보 중 한 명인 박근혜의 이 얘기는 친이, 친박으로 나누어져 있던 당시 한나라당의 구도에서 친박계 인사들도 fta 날치기에 참여할 것이라는 진군 신호로 받아들여졌고, 실제로도 그랬다. 여담이지만, 날치기 당일, 이번에는 민주당 인사들이 대거 또 다른 출판 기념회에 참석하면서, 기습 공격이 수월하게 이루어졌다.

그 시간에 정동영은 나꼼수의 정봉주를 면회 중이었다. 당시 민주당 대표였던 손학규와 원내 대표였던 김진표의 경우는 확인

할 길이 없지만, 최소한 정동영과 그의 보좌관들은 그날 날치기가 있을 예정이라는 걸 까맣게 몰랐다.

한미 fta가 시작될 때부터 지금까지, 날치기 전이나 날치기 후나, 한미 fta에서 가장 문제가 되는 조항이 바로 투자자소송제, 국가-투자자 직접소송제 등 다양한 이름으로 불리는 ISD(Investor-State Dispute)이다. 무역이나 경제적 논의와 별로 상관없어 보였던 당시 법무부 장관 천정배를 경제 민주화의 선봉에 서게 만들었던 게 바로 ISD였다. 판사 170여 명이 한미 fta에 유보적인 입장을 발표하게 만든 것도 ISD였고, 김진표 원내 대표를 축으로 하는 민주당의 '협상파'도 ISD는 위험하다고 인정했다. 한나라당에서도 ISD의 문제점을 부분적으로는 인정한다. 소위 '백도어론'이라고 할 수 있는데, 한미 fta에서 ISD를 뺀다고 하더라도 이미 한국은 한-칠레 fta는 물론이고 다른 투자 협정에서 ISD를 포함했기 때문에 방어가 안 된다는 게 한나라당의 논리이다. 이 얘기는, 위험하기는 한데, 그걸 막을 실질적인 길은 없다는 것이다. 박근혜가 얘기한 '표준 약관'도 그런 의미이다. 그렇다면 굳이 미국 쪽만 뺄 이유가 있느냐, 이건 한미 fta를 정치적으로 활용하려는 진용의 어거지 아니냐는 게 박근혜의 얘기이다. 무서운 건 맞는데, 어쩔 도리가 없으니, 그냥 받아들이자는 게 한나라당의 얘기이다. 너무 무서우니 이건 좀 빼자는 게 민주당 협상파의 얘기이다. 그리고 '완전 폐기'는, 한미 fta 자체가 워낙 위험스러운 존재이니,

노무현 시절의 협상 자체를 없던 일로 하자는 것이다.

미-호주 fta에 참여했던 호주는 결국 ISD를 뺐다. 캐나다와 멕시코는 나중에 이걸 재협상에서 철회하려고 했는데 못했다. 집합으로 비유해 보자. 'fta 플러스'라고 얘기되는 한국이 미국과 체결한 조약은 상품에 관한 A집합, 서비스에 관한 B집합, 투자 협정에 관한 C집합으로 나눌 수 있다. 자동차나 농산물의 관세 유예 기간에 관한 협상은 A집합에 속한다. 2008년 리먼 브러더스의 파산을 야기한 파생 상품과 관련된 신금융 상품 도입과 같은 것은 B집합에 속한다. A집합과 B집합은 재화와 서비스 등 전통적 무역에 관한 조항이라서, 개방의 강도와 속도 등을 전통적인 분류법과 분석으로 이해할 수 있다. 반면에 ISD는 무역 조항이 아니라 투자자 보호에 관한 조항, 즉 투자 협정에 관한 것이다. 즉 무역(A집합+B집합)과 투자(C집합)에 관한 얘기들이 하나의 조약에 패키지로 들어간 것이 한미 fta라는 매우 특수한 경제 조약이다. 외교부의 논리대로라면, A집합과 B집합에 들어간 조항이 워낙 많고 복잡하니까, C집합은 단지 하나의 제도일 뿐이라고 할 수도 있다. 이것도 한 건, 저것도 한 건이라는 논리로는 그렇다. 그렇지만 경제적 효과 혹은 경제적 충격이라는 기준으로 본다면, ISD가 궁극의 보증자로 포함된 C집합이 A집합과 B집합을 합친 것보다 더 크다고 할 수 있다.

논리적으로만 본다면, 하면 안 된다는 입장과 해도 상관없다는 입장이 있을 수 있다. 앞에서 살펴본 바와 같이, 미국과의 관계에서 A집합과 B집합, 즉 상품과 서비스의 교역에서는 수출에 비해서 수입이 더 많이, 더 빨리 늘어날 것이므로 손해이다. 그렇다면 ISD는? 물론 손해라고 생각하는 사람들이 많다. "우리 업체도 이 제도의 혜택을 볼 수 있다."고 주장하는 쪽은 외교부 공무원들밖에 없다. 왜 그런지 생각해 보자.

국가 내부의 사법 관계라는 것은 우리에게 익숙한 얘기이다. 헌법의 기본 위에 형법, 민법 등 일련의 법체계가 서 있다. 헌법은 국가의 틀을 세우는 법이고, 우리나라의 모든 법과 질서는 이 헌법 위에 세워져 있다. 국제 조약의 경우는 기존의 관행을 정리한 '조약법에 관한 비엔나 협약(Vienna Convention on the Law of Treaties)' 위에 서 있다. 우리나라도 1980년 발효된 이 협약의 당사국이며, 조약의 체결, 무효 혹은 종료 등에 관한 일반적 절차와 규정이 들어 있다. 경제적으로 유일한 사법적 분쟁 조정 기구는 WTO가 출범하면서 무역 마찰 등에 관한 일들을 처리하기 위해서 생겨났다.

이러한 일련의 흐름은 국가와 국가의 일이다. UN의 등장 이후로 UN 협약이든 아니든, 국가 사이의 관계에 대해서 우리는 상당히 익숙해져 있다. 온실가스와 관련된 기후변화협약은 UN 협약이고, 오존층 파괴 물질을 규제하는 몬트리올 의정서는 UN 협약이 아니다. 그렇다고 해서 기후변화협약이 더 강제력이 있고 몬트리올 의정서가 더 약한 것은 아니다. 현실적으로는 직접 규제력이 있고 무역과도 연계시키는 몬트리올 의정서가 환경 협약으로서 더 강력하다. 이런 국제 협약 사이의 위계 관계를 '글로벌 거버넌스'라는 주제에서 다루는데, 여러 가지 다른 시각이 있지만, 일방적으로 다른 조약이 더 강하거나 약한 건 아니다. 한 나라의 법률 체계에 비해서 국제법 체계가 훨씬 복잡하기는 하지만, 이런 문제를 다루는 데에 국제 사회가 어느 정도 익숙해져 있고 상당히 안정적인 것도 사실이다. 국가 대 국가에 어떤 힘의 관계가 작동하고, 어떤 식으로 진행되는지, 독자 여러분도 기본적인 흐름에 대해서는 어느 정도 인지할 것이다.

ISD는, 우리가 익숙한 국제법 체계와 완전히 다르다. 생경하고 익숙하지 않을뿐더러, 이게 어떻게 갈지 아무도 모른다는 데 사태의 어려움이 있다. 기존의 국제 협약 체계나 분쟁 조정 절차와 달리 ISD는 개인, 정확히는 투자자에게 다른 나라 정부를 대상으로 소송할 수 있는 권한을 주는 것이다. 더 위로 올라가면 상인법이라는 것과 연관되어 있는데, 그 기원상 우리가 알고 있는 UN 혹은 비UN 협약의 전통과는 전혀 다른, 상인들의 꿈이 구현된 제도라고 할 수 있다(홍기빈, 『투자자 직접 소송제』, 2006 참고).

투자자라고 해도 소액 주주는 사실상 큰 의미가 없고, 기본적으로는 특정 국가를 직접 국제 중재에 회부하며 배상을 받아 낼 수 있는 다국적 기업과 사모 펀드 등 대규모 펀드가 이 제도에 해당한다. 국가 간 조약 관계 속에서, 국가가 기업을 대리하여 국가 간의 분쟁으로 가는 게 일반적인 경우인데, ISD는 다국적 기업 등에 아예 특정 국가의 사법 체계가 아니라 직접 국제 중재에 회부해서 자신의 피해를 보상받을 수 있는 길을 열어 주었다. 지금까지의 국제적 관계로 본다면, 개별 기업에 거의 국가에 해당하는 법인격을 부여하는, 기업 입장으로 보면 정말 이상적인 제도가 아닐 수 없다. 만약 내가 다국적 기업의 소유주이거나 주주 혹은 그들에게 소속된 이코노미스트라면 당연히 이 제도에 찬성할 것이다. 다국적 기업의 입장으로서는, 자신이 소속된 정부에 복잡한 로비를 통한 사법 절차가 아니라 국제 분쟁 절차를 밟을 수 있는 길을 열어 준 것 아닌가?

물론 국제적으로는 말이 안 되는 얘기이기는 한데, 이런 극단적인 제도가 도입된 배경에는 '수용'이라고 불리는, 자본주의가 지독할 정도로 혐오하는 행위가 있다. 부동산과 관련된 사람에게는 수용이라는 말이 어렵지 않겠지만, 이 말이 어색하다면 '국유화'라고 해도 상관없다. 재개발 같은 걸 할 때 여기에 반대하는 사람이 '알박기'를 하면 곤란하니까, 아예 정부가 수용해 버리는 제도가 있다. 한국에서는 정부가 토지 수용을 남발하다 보니, 나중에는 위헌 판결을 받은 골프장 업자에게도 수용권을 주는 일이 벌어지기도 했었다. 지금도 기업 도시를 추진하는 기업이 일정 규모 이상이면 수용권을 부여한다.

냉전 시대, 만약 특정한 국가에서 사회주의 혁명이 일어나면 어떻게 될까? 새로운 정부는 이전 정부의 체제와는 전격적인 단절을 선언하고, 자국의 기업을 국영화하게 된다. 그런데 외국 기업이 국내에 주둔하고 있다면? 지금에 와서는 소비에트 붕괴 이후, 이런 극적인 혁명의 등장과 함께 전격적인 사회주의 국가가 등장할 가능성은 많이 줄어들었다. 그러나 국유화의 악몽마저 사라진 것은 아니다.

중남미의 새롭게 등장한 좌파 정권들에 대해서는 여러 가지 해석이 있을 수 있지만, 자원 민족주의 성향이 강한 것이 사실이다. 이런 국가들에서 에너지 기업들이 전격적으로 국유화되는 것을 배제할 수는 없고, 이런 흐름이 아프리카 심지어는 북아프리카를 넘어 중동 국가에서 발생하지 말라는 법도 없다. 1980년, 영국의 대처, 미국의 레이건이 등장하는 순간, 프랑스에서는 처음으로 미테랑과 함께 사회당이 집권하면서 국유화 정책을 강하게 추진한 적이 있다. WTO에 가입하지 않은 국가 혹은 국제 규범과 무관하게 움직이는 국가에서 외국계 기업을 일방적으로 몰수하는 일이 벌어지면 어떻게 할 것인가 하는 우려가 ISD 논의를 현실 속으로 끌어들였다. 이런 국유화를 직접 수용이라고 부른다.

여기에 추가하여, 몰수와 같은 국유화의 형태는 아니지만, 특정 국가의 정책에 의해서 기업이 생각한 이익을 구현하지 못한 경우는 어떻게 할 것인가, 이런 질문들이 새롭게 등장했다. 원래 경제학에 존재했던 개념은 아니지만, 국가가 기업의 미래 이익을 '수용'한다는 의미에서 이런 걸 간접 수용이라고 부르게 되었다.

직접 수용이든 간접 수용이든, 일반인들이 이해하는 기업에 관한 얘기는 아니고, 90년대 이후 전성시대를 맞은 다국적 기업에 관한 이야기이다. 흔히 신자유주의 혹은 '워싱턴 컨센서스'라고 부르는 흐름이 강화되면서, 다국적 기업들이 국가를 상대로 직접 소송할 수 있는 제도를 만들었고, 이게 투자 협정이나 fta의 내용으로 포함되기 시작하였다. 그 과정에서 전 세계 시민 사회를 격노하게 만들었던 볼리비아의 벡텔 사건이나 멕시코의 매탈클래드 사건 같은 것이 벌어졌다. 호주의 금연 정책에 대한 ISD 소송은 비교적 최근의 사건이다.

전체적으로 본다면, 투자자라는 이름으로 기업이 국가에 직접 손해 배상을 청구할 수 있는 권리를 부여한 이 제도는 아직 안정화된 단계는 아니다. WTO는 중국도 가입할 정도로 나름대로는 안정화 단계로 들어갔고, 관세를 낮추는 fta 즉 '낮은 수준의 fta' 역시 문제점은 많지만 그 피해가 어느 정도인지는 대체적으로 예상 가능한 범위 내에 들어가기 때문에 나름대로 제도로서 어느 정도는 안정화되었다고 볼 수 있다. 그러나 ISD의 경우는 그렇지 않다. 국제적인 차원에서 국가와 기업의 관계가 과연 이렇게 투자자들이 직접 자신의 이익을 보호할 수 있는 방식으로 갈 것인지, 아니면 ISD의 남용에 따른 국제적인 원성이 높아지면서 다른 형태의 제도로 갈 것인지는 아직 확정된 것이라고 보기는 어렵다. UNCTAD 같은, UN의 경제 문제를 담당하는 기구들에서 ISD의 폐해나 이 제도를 대체할 수 있는 다음 단계에 대한 논의가 조심스럽게 이루어지고 있다. 세계은행 부총재를 지냈던 스티글리츠 같은 경제학자가 적극적으로 주장하면서 '공정 무역'이라는 개념이 세계적인 논의는 물론, 미국 민주당 일각에서도 중요한 개념으로 확산되는 중이다. 이런 흐름이 국제 무역에 대한 논의로 옮겨 오면, 지금 우리가 보는 것과 같이 제어되지 않는 ISD가 투자자를 보호하기 위한 영원한 제도로 안착될 것이라는 보장은 전혀 없다.

어차피 세상은 ISD라는 방향으로 갈 것이니 여기에 적응하고 적극적으로 활용할 수 있는 방법을 생각해 보자는 것이 외교부의 논리이다. 그러나 그건 그 사람들 생각이거나 2008년 글로벌 금융 위기가 생겨나기 이전의 생각이다. 국가간 자본의 이동을 자유롭게 해 주고 여하한 규제도 없애는 게 더 발전된 방식이라는 것은 90년대 사유이고, 2008년 이후 '토빈세'와 같은 일종의 국경세에 대한 논의가 유럽의 우파 정부들 내에서도 서슴없이 튀어나오는 게 최근의 흐름이다. 마찬가지로, 다국적 기업이 더 쉽게 움직일 수 있게 해 주는 게 자본 유치를 위해서 좋다는 생각도 언제 다른 방식으로 전환될지 모른다. 국유화는 절대로 안 된다고 했던 미국에서, 2008년 금융 위기에 대처하면서 GM에 정부 자금을 지원해야 한다고 적극적으로 주장한 것이 오히려 월가의 펀드 매니저들 아니었던가?

자, 이런 게 ISD 제도의 일반적 속성이다. 그렇다면 한국의 투자자들을 보호하기 위해서 이렇게 불투명하고 불확실한 위험을 잔뜩 담고 있는 미국과의 ISD가 과연 박근혜가 얘기하는 투자 조약의 표준 약관과 같은 것일까? 여기에는 두 가지 논리적인 문제가 있다.

첫째는, 과연 미국이 ISD라는 장치의 보호가 없다면 한국 투자자가 보호받지 못할 나라인가 생각해 볼 필요가 있을 것이다. 물론 우리가 일방적으로 혜택만 받을 수 있거나, 선택할 수 없는 제도라면 좀 다른 문제이지만, 이 경우는 그게 아니다. 한국에서의 ISD로 인하여 생겨날 수 있는 피해는 직접적이고 가시적인 데 비하여, 미국에서 우리가 얻을 수 있는 편익의 존재 혹은 존재한다고 하더라도 구현 가능성이 불투명한 경우이다.

우리가 회사에서 간단한 계약을 할 때에도 기존의 계약서를 꼼꼼히 읽고 수정할 수 있는 것들은 수정한다. 양해 각서라고 불리는 MOU의 경우는 강력한 법적 구속이 있는 건 아니지만, 그럼에도 변호사들에게 자문을 받으면서 문제가 될 구절에 대해서 다양하게 생각해 본다. 재화와 서비스의 개방을 다 합친 것보다 더 큰 내용이 담겨 있는 ISD를 계약서에서 다룬다면 여러분들은 어떻게 하겠는가? "이건 표준 약관에 있는 정관과 같은 것이다."라며 계약서를 꾸릴 사람이 과연 한 명이라도 있겠는가? 만약 자신의 자문 변호사가 그렇게 얘기한다면 당장 변호사를 바꿀 것이다.

현실적으로 얘기한다면, 미국은 자못 특별한 나라이다. 90년대 중·후반 이후, 미국이 다른 나라에 투자하는 것보다 미국에 대한 투자가 더 많았다. 최고의 안전 자산이라고 불리는 달러의 발행국이기도 하지만, 여러 가지 국제 네트워크 등 미국에 대한 투자는 그 자체로 효용이 있는 게 사실이다. 해외 투자자의 경우, 포트폴리오라는 의미에서도 미국에 일정 부분 투자하게 된다. 투자자들은 그게 펀드건 해외 직접 투자(FDI: Foreign Direct Investment)건 간에 미국에 대한 투자는 매력적이라고 생각한다. 만약 여러분이 다국적 기업의 소유주이거나 임원이라면, 혹은 미국에서 자금을 운용하는 펀드 매니저라면, 과연 ISD의 도움이 필요하다고 판단할 것인가? 정몽구가 현대자동차의 매니저들과 엔지니어들을 이끌고 미국에 현대자동차 법인을 만들 때, 언젠가 한미 fta를 통해서 ISD가 도입되지 않으면 불안하다고 생각했을까?

국가의 국유화나 수용으로부터 가장 안전한 나라가 미국이다. 물론 세상에서 영원한 것은 없으니까, 50년 혹은 100년이 지나면 미국에서도 변화가 일어나고, 다른 방식으로 미국 경제가 운용될 수도 있다. 물론 그럴 수는 있는데, 그 정도 변화라면 세계 경제 체제 자체가 지금과는 완전히 다른 상황이고, 극단적으로 말하자면 민주당과 공화당의 작은 변화가 아니라 사회주의에 가까운 변화가 일어나야 가능하다고 할 수 있다. 그 같은 상황에서는 WTO 내의 '관세 동맹'인 fta는 물론이고 달러라는 기축 통화에 의한 무역 결제 방식이 작동할 거라는 보장도 없다. 참고로 소비에트 시절의 무역 장치는, 사회주의권의 WTO라 할 수 있는 코민테른을 통해서 했고, 구상 무역 체제를 기본으로 하고 있었다. 일종의 물물 교환이다. 동구가 붕괴하고 난 후, 북한에 석유를 공급하던 러시아와 북한이 코민테른 체제에 의한 구상 무역 대신 경화 즉 달러를 요구하면서 북한 경제가 급속도로 어려움을 겪게 된 것은 잘 알려진 사실이다. 굳이 지금 물물 교환을 기본으로 했던 소비에트의 코민테른 무역 체제와 파운드화에서 달러화로 기축 통화를 전환한 전후 자본주의 국가들의 무역 체제의 장단점을 얘기하려는 것은 아니다. 그러나 미국에 진출한 투자자가 국유화와 같은 수용의 두려움을 느끼게 된다는 것이 얼마나 비현실적인 설정인지 생각해 볼 필요가 있다. 우리의 투자자도 보호해야 한다는 것은 아름다운 얘기이기는 한데, 최소한 미국과 관련한 주장으로서 의미가 없다. 그냥 해 보는 말이다.

둘째, 연방 정부든 주 정부든, 과연 한국 기업이 미국에서 간접 수용과 관련해서 ISD를 활용할 가능성이 현실적으로 존재하느냐의 문제이다. 비관세 무역 장벽이라고 불릴 만한 게 미국에도 얼마든지 존재할 수 있고, 특히 주 정부의 경우에는 그럴 소지가 다분하다.

오리건 주는 에너지와 관련해서 강화된 규제를 얼마든지 주장할 수 있다. 세계에서 자동차 환경 규제가 가장 강화된 곳 중의 하나가 캘리포니아 주이다. 미국 정부가 한국에 수출될 승용차에 대한 환경 규제를 완화시키는 입장을 취하고 있지만 자국 내에서는 그렇지 않다. 권총 등 총기류에 대한 규제 정책이 주별로 다르듯이 환경이나 에너지 정책 역시 마찬가지다. 지금까지의 흐름을 보면, 캘리포니아의 경우는 단계적으로 더 강화된 자동차 환경 정책을 실시할 것이고, 경우에 따라서 유럽보다 더 강화된 기준을 업체들에 강요할 수도 있다. 그럴 경우, 과연 한국 기업이나 투자자들이 ISD를 통해서 자신의 미래 이익이 감소하게 되었다고 간접 수용에 대한 보상을 받게 될 것인가?

현실적인 가능성은 제로이다. 오히려 한국 기업이나 유럽 기업들은 강화된 기준에 적응하며, 미국 업체들에 비해서 상대적 경쟁력을 강화하는 방향으로 가지, ISD를 통해 보상을 받으려고 하지는 않을 것이다. 연방 정부든 주 정부든, 미국 정부를 상대한다는 압박감을 감내하기가 쉽지 않을뿐더러, 미국의 fta 이행 법안 체계상 주 정부의 이런 크고 작은 조치에 대해서 한미 fta 조항이 우선 적용될 사항도 아니다.

더 현실적으로 따져 보자. 미국에 진출한 한국 기업에 ISD를 통해서 보상받아야 할 상황이 벌어진다면 어떻게 될 것인가? 냉정하게 생각하면, 이런 기업이 가장 신경 써야 할 존재는 연방 정부나 주 정부, 소비자 단체 등 시민 단체가 아니라, 바로 한국 외교부의 통상교섭본부가 될 것이다. fta에 임하는 외교부의 지금까지의 자세를 보면, "괜히 무역 마찰을 일으키지 마라." 혹은 "국격 떨어지는 일이다."라며, 해당 기업에 은근히 압력을 가할 공산이 크다. 새누리당은 외교부와 다른 식으로 대응하게 될 것인가? 역시 은근히 한국 기업을 주저앉히는 방향으로 움직일 가능성이 크다. 이유는 많지만, 미국이 한국에 무역 압력을 넣기 전에, 한국이 미국에 무역 압력을 넣는 것을 환영하지 않는 게 한국 외교부와 새누리당의 분위기이다. 그렇다면 지금 야당인 민주통합당은? 몇 가지 다른 의견이 있을 수는 있지만, 다수를 점하고 있는 소위 '통상파'들이 미국과 통상 마찰을 일으키는 한국 기업을 전격적으로 지원하지 않을 가능성이 높다. 그렇다면 비록 소수파이지만, 의회에서는 나름대로 전위 혹은 캐스팅 보트의 역할을 하게 될 진보 정당의 경우는? 사안에 따라서 다르겠지만, 환경 규제와 같은 경우라면 한국 기업의 ISD 활용을 위해서 목소리를 높여 주지 않을 것이다.

똑같은 경우는 아니지만 생각해 볼 만한 사례가 있다. 2012년 4월 총선 직전, 금융위원회와 금융감독원은 석연치 않은 방식으로 일본에 골프장을 소유한 사모 펀드 론스타의 산업 자본 여부에 대한 판정을 내렸다. 국회 흐름상 국정 조사 혹은 특검제를 놓고 여야가 한창 줄다리기를 하던 와중에 갑자기 내려진 이 판정으로,

결국 론스타의 소위 '먹튀' 여부에 대한 조사가 물 건너갔고, 외환은행은 대통령의 친구가 회장으로 있는 하나금융으로 통합되었다. 정부와 금융가는 물론 새누리당 심지어는 민주당 일각에서도 외환은행 문제를 해결하려 들지 않았고, 론스타가 조용히 한국을 떠나 주기를 바라는 사람들이 많았다. 이때 이들 사이에서 '심심상인'처럼 번져 나간 얘기가 바로 ISD였다. 대법원에서도 유죄 판결을 받은 이 건에 대해서 한국 금융 당국이 산업 자본 판결을 내고, 징벌적인 주식 매각 명령을 내리면 간단하게 풀릴 수 있는 사건이었다. 그러기 위해서는 규정이 문제가 아니라 전임자들이 정책적 판단을 잘못했거나, 혹은 그때와는 달라져서 결정을 번복해야 한다는 것을 인정해야 하는 상황이었다. 그리고 그런 절차를 밟으려면 국회에서 국정 조사 혹은 특검이 필요했었다. 그럴 경우에 론스타가 과연 ISD를 통해서 간접 수용을 주장할까? 어쨌든 당시 새누리당은 총선을 앞두고 첫 번째 ISD가 발동되면 총선에서 패배할 가능성이 높다고 판단한 것 같다. 금융 당국과 새누리당 사이의 세밀한 논의를 우리가 전부 알 수는 없다. 어쨌든 일사천리로 외환은행 매각이 진행되었고, 상황은 종료되었다. 민주당의 통상파 지도부가 여기에 동의해 주었을까? 어쨌든 당시 민주당이 공식적이고 유의미하게 대응한 것은 없고, 현실적으로 외환은행 사건은 종료되었다. 한미 fta가 체결되기 전 우정사업국이 새로운 보험 상품을 발행하려던 계획 역시 석연치 않은 이유로 무산되었다. 론스타는 결국 2012년 5월, 한국 정부에 ISD 회부를 통지하였다.

아마 미국에서 ISD를 발동시키고자 하는 기업이 실제로 만나게 될 첫 번째 장벽은 한미 fta를 자신의 위대한 실적으로 생각하는 외교부와 한국 정치인들이 될 공산이 크다. 논리적으로만 따지면, 외교부는 한국 투자자들의 손실을 줄이는 방향으로 교섭하는 게 맞지만, '큰 정치'와 '작은 정치'의 충돌에서 fta는 외교부에 작은 정치이다. 큰 정치가 작은 정치에 희생되는 것이 한국의 냉정한 현실 아닌가? 그리고 우리나라의 기업들도 이 문제를 어느 정도는 알고 있다. 미국 정부를 이기기 전에 한국 정부부터 이길 수 있는, 한국에 본부를 둔 다국적 기업에나 유효한 수단이 ISD이다. 논리적인 이유이든 현실적인 이유이든, ISD는 99%의 한국 기업 혹은 투자자와는 상관없는 제도가 아닌가!

한국 기업의 보호를 위해서라도 ISD가 꼭 필요하다는 외교부의 주장이나, ISD는 표준 약관과 같은 것이라는 박근혜의 주장은, fta 혹은 ISD를 이념같이 여겼던 이해의 산물이다. 미국이 죽어도 ISD를 넣어야 한다고 물고 늘어지는 경우가 아니라, 우리 쪽에서 적극적으로 반영시켰다는 말인데…. 도대체 어느 기업이 이 제도의 혜택을 받을지 생각해 본 흔적이 전혀 없다.

5) ISD 일반에 대한 정부 입장, 누구 돈이 누구에게 가는가

한미 fta라는 극장에서, 만약 여기에 괴수가 숨어 있다면 그 본체는 ISD일 것이라는 데에 모두 동의할 것이다. ISD가 특별한 것은, 그 이면에 90년대 이후에 세계 경제에서 가장 중요한 축으로 떠오른 다국적 기업이 숨어 있기 때문이다. ISD는 다국적 기업에 의한, 다국적 기업만을 위한 제도이다. 생산 분야든, 금융 분야든, 일국을 중심으로 움직이는 기업이나 우리가 시민으로 부르는 개개인은 이 제도를 통해서 이득을 볼 일이 거의 없다.

우리말에서 돈이라는 단어의 유래에는 여러 가지가 있겠지만, 가장 쉽고 자주 통용되는 얘기는 '돌고 돌라고 돈'이라는 말이다. 물론 많은 사람의 불만은, "나는 돈을 돌리는데, 왜 돈은 나에게 안 돌아와?"이다. 돈이 순환되어서 원래 있던 곳으로 돌아오도록 보장된 곳은 중앙은행밖에 없다.

ISD가 기존의 통상 제도와는 상당히 이질적이라는 사실은 돈을 주는 사람과 받는 사람의 눈으로 보면 좀 더 명확해진다. 나는 돈을 주는데, 쟤는 나에게 돈을 돌려주지 않는 기이한 제도이다. 경제학에서 얘기하는 거래라는 것은, 돈을 주면 물건이나 서비스가 나에게 오는 것이다. 주고받는 것, 그게 거래의 기본 아닌가? 그런데 ISD는 그게 좀 묘하다.

한국에서 미국 기업이 ISD로 배상 판결을 받았다고 하자. 그때 돈을 배상하는 주체는 한국 정부이고, 당연히 정부가 별도의 돈을 가지고 있는 것은 아니니까 세금 즉 국민 모두의 돈이다. 이건 어떻게 보든 지출이고, 정확히 말하면 손해다. 이 손해가 벌충되는 경우는? 얼핏 한국 기업이 미국에서 돈을 받으면 될 것 아니냐고 생각하기 쉽다. 경우는 아주 희박하지만, 원칙적으로는 한국 기업도 미국에서 ISD를 통해 미국 정부의 배상을 받을 수는 있다. 이 경우에도 미국의 세금으로부터 나오는 돈을 한국 기업이 받게 된다. 기업이 아니라 투자자라고 해도 상황은 같다.

자, 가만히 살펴보면, 이게 뭔가 좀 이상하다. 미국 투자자가 배상을 받는 것이 미국 국민들이 배상을 받는 것과 일치할까? 두 주체의 일치 확률이 0%는 아니지만, 그 정도면 상관없다고 보는 게 맞다. 마찬가지로 한국 기업이 미국으로부터 배상을 받았다고 해서, 이게 한국 국민들에게 돌아오는 것은 아니다. 한국 국민이 낸 돈은 미국 기업이 갖고, 미국 국민이 낸 돈은 한국 기업이 갖는다. 국적을 중심으로 보면, 두 나라가 동등하고도 수평적인 제도를 도입한 것처럼 보인다. 그렇지만 기본적으로, ISD를 중심으로 돈은 그렇게 간단하게 순환되지 않는다.

ISD라는 제도를 통해서 배상을 받는 것은 양쪽 국가의 기업들 정확히 말하면 다국적 기업 혹은 해외 투자자들이다. 그리고 그 돈을 물어주는 것은 양쪽의 국가 즉 국민들이다. 국민을 중심으로 보면, 그들은 주기만 하고 받는 것은 없거나, 받더라도 간접적이다. 국가와 기업 간의 전통적인 관계가 ISD에서는 전도되는 것이다. 자본 중에서도 다국적 기업에 일방적으로 유리한 제도가 바로 ISD이다. 그리고 그들이 얻어 내는 것만큼, 전통적으로 국가를 통해서 우리가 지키려고 했던 국민들이 손해를 보게 되는 것이고. 국가라는 눈이 모든 것을 설명해 주지 못하는 것만큼, 자본이라는 눈도 마찬가지다. 그러나 이 경우, ISD는 특정 국가의 기업에만 유리한 것이 아니라, 기본적으로 국가 '정책'의 전통적인 영역을 기업들에 양보하는 역할을 하는 것이다. 미국에 진출한 한국 기업이 배상을 받았다고 하더라도, 한국에서 국민들이 미국 기업에 배상한 금액을 보상받는 것은 아니다.

fta 자체의 특수한 속성이 ISD와 결합하면 극대화된다. ISD에 이러한 맹점이 있기 때문에, 장기적으로 안정적인 제도라고 보기 어려운 것이다. 물론 90년대 이후 한동안 계속되었던 다국적 기업 중심의 세계화 국면에서는, 다국적 기업의 이익 앞에서는 국가고 공공성이고 별 볼일 없는 것으로 간주되던 시절이 있었다. 그러나 국민이라는 이름으로, 자기네 나라의 국적을 가지고 있는 다국적 기업의 이익을 위해서 일방적으로 희생하라는 제도가 영원히 안정화되기는 어려운 것 아닌가?

미국을 중심으로 진행되는 일련의 fta에서 ISD가 유독 문제가 되는 것은, 미국 앞에만 서면 모두 약자가 된다는 특수성도 있지만, ISD를 통한 배상 체계의 자금이 순환 구조가 아니라는 점에 있다. 공공성을 침해당한 멕시코 국민들의 손해가 다른 방식으로 보상받았을까? 그러지 못했다. 설령 멕시코 기업이 천행으로 미국에서 보상을 받았다고 하더라도, 이게 멕시코 국민들, 흔히 우리가 민중이라고 부르는 그들과 무슨 상관이 있겠는가?

한국의 통상교섭본부가 가장 불만족스러운 것은, 그들은 마치 한국 정부를 대표하고, 그래서 그 임명권자인 대통령의 대의적 위임을 받아 국민을 대변하는 것처럼 보이지만 현실적으로는 전혀 그렇지 않았다는 점이다.

노무현 시절에는 대기업의 이익과 국가의 이익을 착각했다. 원래 의도가 그랬는지는 지금 와서 알기 어렵지만, 실제로 이루어진 협상은 그랬다. 그렇다면 이명박 시절에는? 다를 게 별로 없다. 정상적인 외교부라면 자국 국민들이 부담해야 할 세금과 기업들이 얻게 될 이익과 폐해에 대해서 진지하게 생각해 보아야 한다. 그러나 ISD에 관한 한 한국 외교부는 그게 그거라고 접근한 듯싶다.

전경련이나 삼성의 외교부라면 지금처럼 하는 게 맞다. 그러나 한국 국민을 대표한다면 지금처럼 하면 안 된다. 원칙대로 따져 본다면, fta 협상은 물론이고 ISD에 대해서도 지금보다 훨씬 신중하게 접근하는 게 당연하다.

협상가들이나 외교부 직원들이 ISD 문제에 대해서 배상할 것도 아니지 않은가? 자기들은 대충 해 놓고 빠져서 나중에 삼성에 취

직하거나 새누리당 국회의원으로 나서면 그만이지만, 남아 있는
국민들은 아주 피곤하게 된다.

6) 모든 공포의 총합

이 시점에 와서, 한미 fta의 규정 하나하나를 뒤집으면서 '독소
조항'이라고 부르고 싶지는 않다. 하나씩 나열해서 모든 규정을
공포스럽게 재해석하고 싶지도 않다. 그렇지만 ISD를 비롯해서
한미 fta의 효과가 단기간에 나타나지 않는다는 점을 먼저 밝혀
두고 싶다. 무역 효과는 당장에 모든 관세가 없어지는 것이 아니
라서 시차를 가지고 나타난다. 그리고 그 방향은, 최소한 미국에
대해서는 지금의 무역 흑자가 사라지고 무역 적자가 늘어나는 방
향으로 가게 된다. 물론 이걸 뛰어넘는 엄청난 기술 혁신이나 경
영 혁신 같은 게 등장하면 기계적으로 계산한 관세 효과와는 다른
방향으로 갈 수도 있다. 정말 선의로 해석한 노무현식의 '외부 충
격에 의한 내부 혁신'이 일어나는 경우이다. 그러나 멕시코나 캐
나다의 경우를 비추어 보면, 그렇게 강력한 기술 혁신이 일어났
다는 증거는 거의 없다. 솔직하게 말하면, 한미 fta의 손을 빌려
서 혁신할 수 있는 기업 구조라면 지금도 충분히 할 수 있다.

경제 내에서 정부의 역할과 공공성의 미래를 어떻게 볼 것인가
라는 시각은, 특히 ISD와 관련해서 중요한 문제점이 된다. ISD에

현재 유보와 미래 유보라는 조항으로 제약이 걸려 있는 것은 사실이다. 그러나 특히 '래칫' 조항이라고 불리는, 일단 해제하고 나면 뒤로 갈 수 없는 한미 fta 특유의 비가역성 조항과 민영화 일변도의 한국 정부의 현 추세 그리고 특히 의료 보험에서의 약제비 결정에 대한 미국 측의 참여 등이 결합되면 복합적인 상황이 벌어진다. 장기적인 관점에서 한국에서 공공 의료 보험을 재정 문제 등으로 유지하기 어려운 상황이 벌어지는 것을 배제할 수 없다는 점이다. 보건 의료 서비스 분야의, 이제는 너무 유명해진 단서 조항을 한번 보자.

이 유보 항목은 경제자유구역의 지정 및 운영에 관한 법률(법률 제8372호, 2007. 4. 11.) 및 제주특별자치도 설치 및 국제자유도시 조성을 위한 특별법(법률 제 8372호, 2007. 4. 11.)에 규정된 의료 기관, 약국 및 이와 유사한 시설의 설치와 그 법률에서 특정하고 있는 지리적 지역에 대한 원격 의료 서비스 공급과 관련한 우대 조치에 대해서는 적용되지 아니한다.

이 얘기는 제주도에 영리 병원이 도입되는 경우, 보건 의료 서비스에 대한 한국 정부의 정책 재량이 행사될 수 없다는 것을 의미한다. 즉 영리 병원 제도 자체를 폐지할 수 없게 된다. 물론 한국 정부가 이러한 조치를 취하지 않으면 그만이다. 그러나 유감스럽게도 우리의 정부는 끊임없이 제주도를 비롯해서 영리 병원을 도입하려고 하는 게 현실이다. 이렇게 일단 열리기 시작하면,

미래 유보에 대한 조항은 래칫에 의해서 언젠가는 사문화되어 버릴 가능성이 높다.

미국의 4대 선결 조건의 하나였던 약제비 문제가 여기에 다시 결합된다. 한국의 의료 보험에서 사용하는 약의 값을 결정하는 데 미국의 당사자들이 참여하겠다는 게 협정문에 포함되어 있다. 결국 이렇게 약값을 올리게 되면, 카피 약이 아닌 미국의 오리지널 약의 경쟁력이 한국에서 올라가고, 미국 약의 수입이 늘게 되고, 동시에 의료 보험의 재정 악화가 일어나게 된다. 미국이 그렇게까지 치사하게 할까 싶지만, 현실적으로 미국이 한국 시장에서 가장 이득을 보게 될 분야가 처음부터 약제비였다. 영화, 쇠고기, 자동차, 그리고 약제비, 이 네 가지가 미국이 한국 시장에서 가장 눈독을 들였던 부분이었다.

냉정하게 얘기하면, 자동차는 미국이 아무리 애를 써도 한국 시장에서 드라마틱하게 판매량이 늘기는 어렵다. 가격 문제만이 아니라 유럽 차에 대한 선호와 연비 등 복합적인 이유가 있기 때문이다. 미국의 자동차 노조의 목소리가 크기 때문에 미국 정치인들도 뭔가 하는 시늉만 내는 것이지, 거시적으로 볼 때 엄청나게 큰 판돈이 걸린 건 아니라는 게 내 생각이다. 한국이나 미국이나, 정치인들이 서로 자동차에서 뭔가를 얻었다고 목소리를 내지만, 별거 아니다. 자동차 판매의 구조 등으로 볼 때, 크게 얻을 것도 없고 손해 볼 것도 없다.

쇠고기 역시 비슷하다. 물론 한국 축산업계의 입장에서 볼 때에는 엄청난 문제일 수도 있지만, 미국 경제의 규모에서 그렇게 목숨 걸고 한국에 들어와야 할 일까지는 아니다. 그러나 여기에 축산 방식의 관리에 실패한 미국의 광우병 문제가 개입되면서 사태가 아주 복잡해졌다. 당하는 우리 입장에서는 식품 안전성의 실패로, 라면에서 냉면, 그리고 떡국까지, 누구도 피할 수 없는 공포 특집으로 들어가게 되었다. 그러나 냉정하게 본다면, 미국에서도 경제적인 이득보다는 정치적인 이득이 더 큰 분야이다.

영화는 좀 애매하다. 스크린 쿼터의 효과를 정확히 국내 영화의 제작 기반과 연결시켜서 체계적으로 분석하기가 쉽지 않다. 어쨌든 절반으로 축소한 만큼 타격이기는 하지만, 절반을 남겼기 때문에 장기적으로는 미국에 대해서도 절반을 확보한 효과가 발생한 것이 사실이다. 농업과 비교해 보면, 어쨌든 영화업계가 조금은 더 효율적으로 방어했다고 할 수 있다.

그러나 의료 보험의 경우는 앞의 세 가지와 비교할 때, 사안의 중요성이 전혀 다르다. 의료 시장은 약품 시장과 보험 시장이 결합된 분야인데, 여기에서 미국이 양보하지는 않을 것이다. 일단 규모도 클뿐더러, 자동차나 쇠고기와 비교하면 확실한 성공이 보장된 분야이다. 제주도와 인천 등의 영리 병원 추진 등 한국 정부의 방침을 확실히 철회하기 전에는 공보험인 건강 보험을 지금의 모습으로라도 지키기가 쉽지 않다. 게다가 한미 fta 체제에서는 암보험 등 의료 보험의 보장성을 더 높이는 의료 보험의 강화가 더욱 어려워진다.

외교부에서 공공성을 지킬 수 있다고 강조한 또 다른 분야는 환경이었다. 자, 우리가 마시는 물을 지킬 수 있을까, 없을까? 삼성 등 대기업이 10여 년 전부터 끊임없이 검토한 것이 바로 '물 산업 육성'이라는 것이고, 상수도 분야에 대기업이 들어오고 싶어 한다는 것은 공공연한 비밀이다. 과연 지켜질까? 자, 미래 유보에 포함된 해당 조항을 보자.

> 대한민국은 다음의 환경 서비스에 대하여 어떠한 조치도 채택하거나 유지할 권리를 유보한다 : 음용수의 처리 및 공급, 생활폐수의 수집 및 처리, 생활폐기물의 수집·운반 및 처리, 위생 및 유사 서비스 그리고 자연 및 경관 보호 서비스(환경 영향 평가서비스는 제외한다)

위의 미래 유보 규정만으로 보면 우리가 마시는 물에 대해서는 개방이 제외된 것처럼 보인다. 그렇지만 역시, 단서 조항이 뒤따른다.

> 이 유보 항목은 관련 법 및 규정에서 상기 서비스에 대하여 사적 공급이 허용되는 한도에서 민간 당사자 간 계약에 따른 해당 서비스의 공급에는 적용되지 아니한다.

단서 조항의 길이는 짧은데, 내용은 무시무시하다. 우리가 언제 음용수에 대해서 사적으로 공급하겠다고 결정한 적이 있었던가? 외교관들이 폐기물 처리 등 각종 환경 분야가 나중에 민영화될지도 모른다고 지레짐작하고, 그때에 기업들끼리 하는 것에 대해서는 이런 유보를 적용하지 않겠다고 미리 얘기하고 있는 것이다. 4대강과 관련하여 가장 가까운 음모설 중의 하나가, 결국은 수질 악화로 정부가 상수원에 대한 통제 능력을 잃고 재정 부담 등을 이유로 민간업자에게 권역별 관리권을 민영화하는 경우이다. 그때 미국 등 해외 업자와 기술 제휴나 자본 분담 등을 이유로 '민간 당사자 간' 협력하는 경우 등이 발생할 때, 환경 분야에 대한 미래 유보는 무의미한 조항이 된다.

외교부에서는 최소한 공공성과 관련하여 현재 유보와 미래 유보를 통해서 촘촘히 막아 놓았다고 큰소리치지만, 솔직히 미래 유보가 이만큼 늘어난 것은 외교부 등 정부에서 한 일이 아니다. 반대 진영에서 내걸었던 문제점들이 반영되면서 개방 폭에 대한 현재 유보와 미래 유보가 지금처럼 많아졌다. 그러나 이 같은 방식의 근본적인 문제점은, 역시 이제는 유명해진 얘기인데, 바로 네거티브 방식이라는 것이다. 포지티브 방식은 개방하기로 예정된 것을 미리 결정해 놓는 것인데, EU와의 협상에서는 이런 방식이 채택되었다. 물론 네거티브 방식이라고 해서 늘 문제가 되지는 않는다. 특정 분야에 들어올 생각이 없는 국가와는 사실 이런 복잡한 유보 조항들이, 네거티브든 포지티브든, 현실적으로 문제를 일으키지 않는다. 어차피 벌어지지 않을 일이라면 해당되는 걸 적어 놓든 해당되지 않는 걸 적어 놓든 무슨 상관이 있을까!

그렇지만 ISD를 적극적으로 활용하는 미국 기업들과의 관계에서는 문제가 된다. 노무현 시절 처음 fta를 시작할 때에는 그냥 버리는 것으로 방기해 놓았던 지역 경제에서의 소매점 보호 같은 게 벌써 사회적으로는 중요한 문제로 떠올랐다. 노무현, 이명박을 거치면서 2006~2007년도에 공무원들이 생각했듯이, 세상이 점점 민영화되고 시장화되면서 움직이면 별문제가 없었을지도 모른다. 그러나 2008년 글로벌 금융 위기 이후로, 전혀 변할 것 같지 않았던 한국에서도 변화가 생겨났다. 주거권과 관련해서 공공 주택 정책 등 공간 정책이 더 적극적으로 갈 수도 있고, 환경과 관련해서 공공 정책 특히 지역 정책이 더 강해질 수도 있다. 네거티브 리스트는 미래에 대한 시한폭탄과 비슷하다.

물론 외교부라고 해서 이런 문제를 몰랐을 리 없다. 협상 과정에서 외교부가 국내 절차를 생략했다고 하면 이 상황에 대한 설명이 쉽다. 자기가 있는 분야를 일정 시점 후에 개방하겠다는 국내적 합의가 먼저 있어야 간단하게라도 포지티브 리스트라는 걸 만들 수 있는데, 실제로 외교부는 그런 식의 국내 협의 절차를 밟을 생각이 없었다.

그러다 보니 '미래 일은 모른다'는 지금과 같은 상황이 벌어지게 되었다. 한마디로 언제 터질지, 어디로 터질지, 일단 터지면 얼마나 피해가 갈지 아무도 모르는 폭탄이 하나 들어와 있는 셈이다. ISD 자체도 국제적으로 불투명한 제도인데, 여기에 외교부의 내부 협상 부재와 협상 체결에 걸친 성과주의가 결합되면서, 한미 fta 안에 그보다 더 효과가 큰 이상한 물건이 하나 따라 들어오게 되었다.

외교부의 설명으로는 외국에 나간 우리나라 투자자들이 혹시라도 투자국에서 불이익을 당하게 될까 봐 ISD가 필요하다는 것이다. 그러고는 북한의 사례를 드는데, 북한은 어차피 WTO 가입국도 아니고, ISD 아니라 그 뭐라도 국제 규율 바깥에 있는 북한 정권은 확실한 보호를 받기가 어렵다. 그리고 나머지 나라와의 투자 협정에서 한국 기업이 보호받는 것과 미국과 ISD를 체결하는 것은 아무런 상관이 없다. 어차피 국가별로 별도의 투자 협정이 체결되는 것이므로, fta에 이게 반드시 들어가야 할 이유도 없고, 또 미국과 ISD를 체결해야 다른 나라와 ISD를 맺는 것도 아니다.

우리가 얻게 될 이익은 불확실하며 불투명하다. 또한 이미 다국적 기업으로 전환된 해외 투자자의 이익이 국민들의 이익과 일치한다는 보장도 없다. 한국 외교부는 국민 일반 혹은 새누리당이나 민주통합당 정치인들이 입에 달고 사는 '서민'을 대변하는 것이 아니라, 그 이익이 불확실한 다국적 기업화된 대기업들을 대변한다. 그리고 외교부에 로비를 했던 법조인, 세무사, 공기업

임원들을 대변한다. 이들의 자리는 현재 유보와 미래 유보 조항으로 촘촘히 보호되고 있다. 이런 상황에서 우리의 경제는 어디로 가고 있는가?

여기에 한 가지를 더하면, 2008년 이후 세계 경제의 자연스러운 흐름에 역행하는 소위 '1% 대 99%'의 틀이 한국에서도 여전히 관철된다. 토건과 금융을 매개로 재벌과 모피아들이 자신의 영향력을 강화하는 것이 한국 정치의 지난 10년간의 흐름이고, 민주통합당이라고 해서 예외는 아니다. 복지를 강화하고 공공성을 강화하는 것이 한국 경제가 가려고 하는 흐름이라는 것은 한국의 정치권이 대체적으로 인정하는 바이다. 그러나 그건 말뿐이고, 실제로 민영화를 통해서 공공의 영역을 축소하고자 할 때, ISD는 1%의 가장 든든한 버팀목이 되어 준다.

한미 fta가 무서운 것은, 단순히 관세가 철폐되면서 미국과의 무역에서 흑자가 줄어들거나 심지어 적자로 바뀌어서만은 아니다. 국가 간의 거래에서, 특정 국가에 대해서 장기간 그것도 일방적으로 이득을 보는 게 꼭 좋은 것은 아니다. 적자와 흑자가 바뀌고, 적절하게 균형을 찾아가면서 이득만을 보는 관계를 지향하자고 할 생각은 전혀 없다. 미국 기업이 당장 한국에서 ISD로 분쟁을 만들어 내거나, 1~2년 내에 한국에 엄청난 배상을 청구할 것이라고 생각하는 것도 아니다. 이런 것을 이유로 한국 정부가 안 그래도 취약한 한국의 공공성을 점점 완화하고, 특히 지역 경제와 같은 경제의 세부 단위를 지키고 강화하는 방향과 거꾸로 갈까 봐 제일 무섭다. 그리고 그렇게 하도록 외교부가 일종의 워치독처럼 국내 경제 운용에 개입하면서 통상 분쟁을 이유로 자체적인 '래칫'을 걸어 놓는 일이 가장 무섭다. 국내산 학교 급식 도입 때에도 그랬고, 골목 상권 보호 때에도 그랬다. 급식의 경우는 WTO 규정을 과도하게 해석한 측면이 있었고, 골목 상권 때에는 한-EU fta에서 생겨난 문제였다.

길게 보면, 차라리 ISD로 가서 보상해야 할 일이 생기면 오히려 보상해 주는 것이 국내 경제에는 더 도움이 될 수도 있다. 예를 들면, 과거에 잘못된 판단을 내린 민자 사업 같은 경우, 다시 공공의 영역으로 들어오는 것이 나을 수도 있다. 물론 돈은 아깝지만, 그것 때문에 정부의 개입을 지나치게 두려워하다가 더 큰 문제가 생길 수도 있다. ISD가 문제가 아니라, ISD 때문에 한국 정부가 지레 겁을 먹고 뒤로 물러서다가 론스타 사건 같은 게 얼마든지 벌어질 수 있다는 것이다.

미국 정부나 미국의 다국적 기업보다 우리나라 외교부를 더 무서워하는 상황이 기이하기는 한데, 현실적으로는 그렇게 되었다. 외국과의 조약 체결권을 가지고 있는 대통령과 청와대가 외교부를 제대로 통제할 수 있는 상황도 아니었고, 그렇다고 미국처럼 국회와 무역 대표부 사이에 원활한 대화가 이루어지는 나라도 아니다. 자국 국회의원에게 천 페이지가 넘는 협정문을 컴퓨터 모니터로 현장에서만 참고하고 가라고 했던 외교부고, 이게 당연하다고 간주했던 한국이다. 자료를 복사해서 돌렸던 의원 보좌관은 결국 실형을 살게 되었다. 이런 상황이니 한국 외교부가 미국의 다국적 기업보다 더 무섭지 않겠는가?

그러나 더 무서운 것은, 그렇게 이상한 일련의 일을 멈출 수 있는 방법이 현재 한국 내에는 없다는 점이다. 국가라는 범주와 개인이라는 범주, 국민 경제와 개인 경제, 이런 것들은 혼재하면서도 때때로 갈등을 겪게 된다. 개개인의 이익의 합산이 플러스라고 할지라도 이게 반드시 개인에게 이익이 된다는 보장은 없다. '국익'과 '개인의 이익'이 반드시 한 방향으로 가지는 않는다. 나에게는 국익이라고 말하는 통상상의 이익도 보이지 않고, ISD를 통한 투자자 이익의 보호도 최소한 한미 fta 내의 ISD에서는 보이지 않는다. 그렇다고 해서 개인들에게 이익이 올 것인가? '소비자 후생'이라는 아주 이상한, 그것도 가격 탄력성 때문에 제대로 작동하지 않을 가상의 이익 외에는 거의 없을 것 같다. 때때로 '개인'이 우리를 너무 침범해서 전체적인 합리성이 움직이지 않는 경우가 문제가 되지만, 어떤 때에는 추상적인 '우리'에 개인의 이익이 너무 작동하지 않는 경우도 문제가 된다. 한미 fta를 포함한 '동시 다발적 fta' 전략에서 가장 무서운 것은, 통상을 축으로 하는 기묘한 '우리'가 너무 강조되고, 너무 힘이 세어졌다는 점이다.

이 모든 것을 더해서, 나는 '공포의 총합'이라고 부른다.

7) 한미 fta 4대 피해 집단

영화 〈고질라〉는 해피엔딩으로 끝이 난다. 무성생식으로 번식할 수 있는 고질라의 알 200개 중 일부는 이미 부화되어 프로 구단 뉴욕 닉스의 홈구장인 매디슨 스퀘어 가든에 있었다. 자칫 인류 문명이 멸망할 수도 있는 순간이었지만, 많은 괴수 영화가 그렇듯이, 문제는 해결된다. 우리의 한미 fta도 막 알에서 깨어나 부화는 하였지만, 아직은 매디슨 스퀘어 가든에 있다. 물론 우리에게는 아직 영화와 같은 영웅들이 전격적으로 등장하지는 않았다. 고질라와 한미 fta의 결정적 차이는, 그 피해가 차별적이라는 점이다. 고질라는 부자와 가난한 사람, 힘 있는 사람과 힘없는 사람, 다국적 기업에 속한 사람과 소상공인을 구분하지 않는다. 그러나 우리의 한미 fta는 상당히 차별적 괴수이다. 힘없는 사람들을 주로 공격한다. 그게 고약한 점이다.

내가 살면서 느꼈던 가장 드라마틱한 경험은 황우석 사태 때 벌어진 일이 아닐까 한다. 황우석 사태가 한창 클라이맥스로 치닫던 순간에 미디어 다음에서 문제를 드러내서 사태를 이 지경으로까지 끌고 온 MBC 〈PD 수첩〉을 혼내 주는 게 나은지, 그렇지 않은 게 나은지에 대한 설문 조사가 진행 중이었다. 그때 나온 수치가 98:2였다. 나는 2%에 속해 있었다. 다수결과 대중에 관하여 생각이 복잡해졌다. 그때는 2%가 결국 옳은 선택을 했다는 것이

드러난 드문 경우였는데, 세상이 늘 그렇게 가지는 않는다. 소수의 입장에 섰는데, 내가 틀릴 가능성이 전혀 없는가? 그렇지는 않다.

한미 fta와 관련해서 나의 입장은 6년 전이나 지금이나 크게 바뀌지 않았다. 그사이에 30% 정도 되는 소수파가 되기도 하고, 70% 가까운 다수파가 되기도 했다. fta에 관한 여론 조사는 잘 나오지 않는데, 아마 '순수 폐기'라는 입장을 지금도 가지고 있으면 30% 정도에 속하게 될 것이다.

선거에서 '사표'라는 말은 상당히 심리적인 얘기일 것이다. 자기가 지지한 후보가 당선된다고 해서 개인적으로 특별히 좋아지는 일은 없지만, 일단 기분은 좋아진다. 여기에 정치가 결합되면서, 인간의 삶은 물론이고 선호도 아주 복합적으로 변화된다. 여러 가지 준거 기준 가운데 단 하나에만 해당되는 화석 같은 인간이 있을 수도 있지만, 삶은 그보다 중층적이다. 그리고 그 안에서 '군중 현상'이라는 것도 생겨난다. 경제와 정책에서도 군중 현상은 생겨난다. 여러 사람이 동시에 움직이는 것은, 그 자체로 나쁘다거나 좋다고 말하기는 어렵다. 내가 다수 편에 있을 때에는 내 말이 맞고, 소수 편에 있을 때에는 내 말이 틀리다고 얘기할 사람이 세상에 어디 있겠는가?

황우석 사태는 2005년 11월 〈PD 수첩〉에 문제점이 방영되면서 클라이맥스로 올라간다. 한미 fta 협상 개시 선언은 그보다 두 달

후인 2006년 1월에 이루어진다. 사실 두 가지 사건은 거의 같은 시기에 일어난 일이다. 군중 현상이라는 점에서 유사한 점도 많고, 정부가 정보를 독점하려고 했던, 당시 청와대의 중점 추진 사항이었다는 점도 같다. 한미 fta에는 대통령을 설득하는 데 성공한 김현종이 있었고, 황우석 사태 때에는 황금박쥐의 금, 바로 김병준 청와대 정책실장이 있었다. 노무현은 황우석을 처음 보았을 때 "전기에 감전되는 듯했다"고 말했다. 둘 다 고위 공직자가 대통령을 홀린 사건이고, 청와대가 직접 나서서 국민들에게 어디론가 가자고 했던 사건이다. 결정적으로 다른 점은, 하나는 문제점이 금방 드러날 수 있었다는 점이고, 또 하나는 문제점이 드러나는 데 시간이 오래 걸린다는 점이다. 과학과 과학 아닌 것의 차이일까? 그렇지는 않다. 같은 과학적 실험 혹은 기술 개발의 사건이라도 황우석 사건만큼 상황이 극적으로 전환되거나 밝혀지는 경우는 흔치 않다. 하나는 노무현 시절에 종료되었고, 하나는 이명박 시절까지 넘어와서? 솔직히 그렇게 생각되지는 않는다. 만약 이명박과 함께 한나라당이 집권하지 않고, 열린우리당이 정권 재창출에 성공했다고 하더라도 한미 fta의 경우만큼은 극적으로 다른 전환점이 왔을 것 같지는 않다.

어떤 정책이든지 수혜자와 피해자가 있다. 두 사건은 "우리 모두 이익이다, 즉 국익이다"라고 쇼비니스트들이 떠든 것은 같다. 뭐가 이익인지, 얼마나 이익인지, 그것이 개인들에게 어떤 의미가 있는지 등을 그렇게 소상하게 논의했던 것은 아니다. 쇼비니스트들이 말도 안 되는 수치를 들이대며 국가의 융성이 눈앞에 있다고 언론을 총동원해서 광고한 것은 마찬가지이다. 그러나 피해자가 생겼다고 할 때, 그들에게 국익이라는 게 얼마나 유의미한 개념이겠는가? 황우석 사태에서는 불법적 난자 채취에 해당하는 여성들이 일차적인 피해자이다. 남자들은 그 수치가 얼마 되지 않을 거라고 생각했고, 이내 무시당했다. '진달래꽃'으로 포장되며, 중고등학교에서 여학생들에게 황우석을 찬미하라고 했던 것은 지금 생각해도 너무 심했다. 반면에, 수혜자는 이 사건 때 불치병 환자로 간주되었다. 물론 과학적 확실성과는 상관없이 '희망'이라는 이름하에, 교통사고로 하반신 마비가 된 클론의 강원래가 또 다른 상징으로 등장하게 되었다. 원천 기술 수출이라는 불확실한 개념을 쇼비니스트들이 국익이라는 말로 포장하고, 진달래와 강원래가 각각 피해자와 수혜자를 상징하는 형상 틀로 진행된 것이 황우석 사건이었다. 난자를 채취하기 위해서 여성, 특히 가난한 여성이 겪게 되는 아픔은 작은 희생으로 간주되었다. 물론 한국이 지금보다 더 강력한 마초 사회이며, 동시에 쇼비니즘이 발전이라는 이름으로 포장되던 시절의 일이다.

우선은 황우석 사건과 한미 fta 사건의 차이점 가운데 하나가 피해자의 규모라는 걸 지적할 수 있다. 황우석 사건의 피해자가 가임 여성 중 빈곤층에 집중되기 때문에, 피해가 발생하는 건 분명하더라도 인구로 대비하면 통계적으로는 무시해도 좋을 수치가 된다. 이 정도면 나머지 사람들이 "어차피 돈 벌려고 한 거 아니냐"며 무지막지하게 들이대도 피해자들이 한목소리를 내기는 자못 어렵다. 그러나 한미 fta의 경우는 다르다. 피해를 보는 집단이 구체적이며, 숫자도 많다. 80:20, 90:10, 99:1, 파레토 법칙에서 최근의 99 프레임까지, 우리는 점점 불공평하고 차별적인 세상으로 가고 있다. 이러한 경향성과 일치하게, 한미 fta의 피해자는 많다. 사실상 국민의 대다수라고 해도 과언이 아니다. 전체적인 이익이 명확한 것도 아니고, 이것저것 잘 따져 보면 손해 볼 확률이 훨씬 높다. 체결 이후 방송에서 이익이라고 홍보하는 게 기껏해야 과일 중 체리 값이 내려가는 것에 집중될 정도로, 수혜를 보는 사람들도 불투명하다. 그런데 손해를 보는 사람들은 명확하고, 그것도 숫자가 아주 많다. 이 정도 경제적 조건이면 그동안 우리가 보았던 것처럼 전면적으로 추진하는 일이 쉽지 않을뿐더러, 국회에서 날치기하기는 몹시 어려운 상황이 아닌가?

한미 fta의 문제점 중 하나는, 이 조약의 피해자들에게 그들이 당하게 될 불이익이 생각보다 덜 부각된 것이라고 할 수 있다. 물론 피해자들에게 전체를 위해서 희생을 감수하라고 말할 수는 있다. 아무리 좋은 정책이라도 나빠지는 사람 없이 전체적으로 조금씩 나아지게 만들기는 쉽지 않다.

독자들 중에 경제학과 학생 혹은 졸업생이 얼마나 있는지는 모르겠다. 어쨌든 내가 알기로는, 거의 대부분의 대학교 경제학과에서 거의 대부분의 교수가 경제학과 학생이면 당연히 fta에 찬성해야 한다고 가르치고, 또 시험 출제도 그렇게 한다. 한미 fta를 하나의 정책이라고 본다면, 교과서에서 여기에 대한 기준은, 손해 보는 사람과 그렇지 않은 사람의 관계라는 게 제시되고, 이걸 파레토 개선(Pareto improvement)이라고 가르친다. 누군가의 이익을 침해하지 않으면서 다른 사람의 이익을 높일 수 있으면 그렇게 하고, 언젠가는 누군가 손해 보지 않고서는 다른 사람의 이익을 높일 수 없는 상태가 온다. 그걸 '파레토 최적'이라고 부른다. 거기까지가 교과서가 얘기하는 상황이고, 정책에 대해서 교과서가 그 이상을 얘기해 주지는 않는다. 누군가의 후생을 높이기 위해서 다른 사람의 행복을 희생시켜야 하는 것은 경제학 교과서 바깥의 세상이다. 외교부 공무원들이 '소비자 후생'이라는 개념을 가져다가 소비재의 가격이 낮아지면 소비자들의 행복이 느는 거라고 이상하게 해석을 한다(보통은 '소비자 잉여'라고 부르는 이 개념은 최대 지불 여력과 실제 지불 가격의 차이이고, 이론으로만 존재하는 개념이다). 그러나 후생경제학에서는 파레토 개선의 개념을 통해서 남의 것을 뺏어다가 누군가 행복하게 하는 것은 아니라고 가르친다. 후생경제학 자체가 굉장히 보수적인 이론 틀이기는 하지만, 그렇다고 사회 특정 구성원이나 집단에게 "전체를 위해서 당신들이 참아라"라고 가르치지는 않는다.

역시 웬만한 경제학 교과서에는 다 등장하는 존 롤스의 정의론에 입각하면, 이해는 전혀 달라진다. '맥스-민(max-min)'이라는 롤스의 조건은 그 사회에서 가장 약한 사람의 후생에 전체의 후생이 결정된다는 전제하에, 가장 취약한 계층이 개선되는 만큼 그 사회의 후생 수준이 개선된다는 것을 의미한다. 즉, 약자의 이익을 최대로 높여라! 한국을 강타했던 마이클 센델은 29세에 롤스의 정의론이 지나치게 개인환원적이라고 지적하며 등장했던 사람이다. 그가 좀 더 섬세하게 전개한 정의의 세계에서는, 이렇게 시장적인 의미만으로 사회 정의를 얘기하면 부당한 것이 된다.

이런 일련의 흐름을 생각할 때, '남의 불행은 나의 행복'이라는 방식으로, 한미 fta를 통해서 누군가의 피해가 발생한다고 하면 막연하게 '그렇다면 나는 그만큼 좋아지겠구나' 하고 느끼도록 논의를 전개한 외교부식 논의 구조나, 그걸 그대로 받아서 사회적 논의로 펼쳐 낸 언론이나 솔직히 2010년대의 섬세한 사회 논의라고 하기에는 야만적이었다. "내가 좋아지니까 네가 좀 참아라", 이건 아무리 통상이 중요하다고 해도, 선진국으로 가는 길에 경제학과에서 상식적으로 가르치기에는, 중진국 시대 혹은 패권주의적 시대의 가르침이 아닌가? '인간의 얼굴을 한 자본주의' 정도가 우리가 가야 할 길이라는 전제를 받아들인다면, 나라 밖에서는 물론이고 나라 안에서도 지나치게 야만스러운 요소를 가지고 있다. 정책 효과적으로도 그렇고, 경제나 사회 철학적인 측면에서도 우리의 fta 논의는 너무 과거 지향적이었다.

한미 fta의 피해자는 다층적이고 중층적이다. 어떤 사람은 직접 피해를 받고, 어떤 사람은 그 피해자로 인해서 간접 피해를 받게 된다. 국익에 도움이 된다는, 실체도 없고 현실과도 다른 신기루를 걷어 내고 나면, 한미 fta를 통해서 우리는 모두 직간접적인 피해자가 된다. 나막신 파는 아들과 우산 파는 아들을 둔 어머니의 경우를 생각해 보자. 어떤 아들이든 잘만 된다면! 물론 정부의 현실은 친아들과 의붓아들을 대하는 계모의 태도에 가깝다. 외교부가 특히 좋아하는 아들이 있고, 우리나라에서 안 살았으면 좋겠다고 생각하는 아들이 있다는. '아버지를 아버지라 부르지 못하는' 홍길동도 아니고, 이게 도대체 뭔 일인지 모르겠다.

여러 가지 방식으로 한미 fta의 피해 집단을 생각해 볼 수 있겠지만, 일단 나는 네 가지 집단에 대해서 생각해 보려고 한다. 이들은, 자신들이 어떻게 생각하든, 노무현 시대에도 버려졌고 이명박 시대에도 버려진 집단이다. 그리고 국회 '날치기'를 박근혜가 지시했든 묵인했든, 박근혜에게도 버려진 집단이다.

사회적 논의가 극단적으로 제한되는 전쟁 시기도 아니고, 내전에 가까울 정도로 경제에 혼란이 일어난 시기도 아닌데, 우리는 한미 fta 논의 동안에 '그 정도는 참아라'라는 식으로 내부 논의를 진행했다. 경제의 규모가 커지면서 선진국이 된다고 하더라도, 어떤 식으로든 내부에서 경제적 약자가 등장하고 문제점이 생겨나기 마련이다. 최소한 한미 fta의 피해자를 대하는 우리의 논의 방식은 선진국의 경제 논의와는 거리가 멀다.

수출이 는다 → 우리나라가 결국 잘살게 된다 → 그러면 서민들의 삶도 나아진다 → 그러니 피해자들은 좀 참아라 → 나중에 돈 벌면 보상해 주면 될 거 아니냐? 이런 쌍팔년도식 논의 구조가 한미 fta에서 정부가 제시하고, 전경련이 부풀리고, 주류 언론이 이끌었던 방식이다. 자세히 보면 이 안에 서글픈 '과소 대표'의 문제가 숨어 있다. 이 같은 구조를 그대로 두고 수출만 늘면 선진국이 될 수 있다는 생각이 더 무섭다.

한국 경제 내의 약자들에 관한 얘기로 들어가면, 여기에 바로 괴수들이 신나게 뛰어노는 놀이터가 펼쳐진다. 이런 약자들의 경제적 삶이 정말로 어려워지는 순간, 괴수들을 막아 줄 사람이 과연 통상과 내에 혹은 외교부 간부 내에 있을까?

① 청년

한미 자유무역협정(fta)이 체결되면 여성의 경제적 권리는 더욱 악화될 것이며, 이 협정이 여성의 삶에 큰 영향을 미치는 만큼 젠더 관점에서 총체적인 영향을 고려해야 한다는 주장이 강력히 대두됐다. (「한미 fta, '젠더' 영향 평가해야」, 여성신문, 2006년 12월 1일)

한미 fta가 추진되던 2006년, 별로 알려지지는 않았지만 fta의 영향을 받았던 국가의 전문가들이 초청된 세미나가 열렸다. 정책이라는 눈으로 볼 때, 환경이나 교통 등에 대한 영향 평가는 이미 어느 정도 제도화되어 있지만, 여성들에게는 어떤 영향을 미칠 것인가에 대해서는 거의 신경 쓰지 않았던 시기가 우리에게도 있었다. 많은 경우, fta는 사회적 약자에게 더 많은 영향을 미치며, 여성들의 경우는 이런 변화에 더 취약하다. 한미 fta에 대해서 여성들에 대한 영향을 별도로 고민해야 한다는 목소리는, 거의 아무 반응 없이 묻히는 듯했다.

2011년 9월 18일, '성별영향분석평가법'이라는 법률이 국회에서 통과되었다. 강제 조항은 없지만, 이제 한국에서 진행되는 주요 정책에서는 성별 영향 평가라는 것을 실시해야 한다. 이게 무슨 변화를 만들어 내겠느냐고 생각하는 사람도 있겠지만, 마초적인 흐름이 강했던 지자체 내에서는 중앙정부의 이런 변화가 생각보다 크게 다가온다. 법률 제정 시기가 좀 더 빨랐다면, 한미 fta의 논의 구도에도 상당한 영향을 미쳤을 것이라고 생각한다. 멕시코의 주식이었던 옥수수는 나프타 체결 이전에는 자급자족하던 식품이었지만, 미국 농업이 진출한 이후에는 그렇지 못하다. 그 과정에서 가난한 사람들에게 더 많은 고통이 왔을 것이고, 여성 특히 가난한 여성들에게는 그 고통이 더욱 컸을 것이다.

2010년 6월 4일, 소위 연령차별금지법이라고 불리는 법률이 국회를 통과한 적이 있다. 정식 명칭은 '고용상연령차별금지및고령자고용촉진에관한법률'인데, 고령자들이 일자리를 얻는 데 도움을 주기 위한 것이다. 기본적으로 나는 이 법률의 취지에 공감하고, 정당하다고 생각한다. 이 법률이 시행되면서, 특정 출생 연도로 회사 신입 사원을 뽑거나, 회사 채용 혹은 승진에서 연령을 기준으로 차별하는 것이 금지되었다. 당연히 이렇게 가는 게 맞는 일이기는 한데, 입장을 바꾸어서 20대가 본다면 억울한 일이 생겨날 수도 있다. 법률 시행 초기라서 당장 기업의 채용 관행이 바뀌지는 않았지만, 신입 사원 채용에서 고령자들과 경쟁해야 하는 상황이 벌어지게 된다. 예전의 졸업생들에 비해서 당연히 경쟁률이 높아지게 된다. 사회 정의와는 상관없이 기계적으로만 계산하면, 청년들의 일자리가 중장년에게 나누어지는 효과가 발생하게 된다. 인터넷에서의 작은 분란 외에 본격적인 논쟁이 벌어지지는 않았다. 나는 이 법률을 지지했지만, 아무 논의 없이 법률이 통과되는 것은 의아했다. 청년들의 일자리를 중장년층에게 나누어 준 것인데, 그 반대급부로 새로운 제도나 보완책 도입에 대한 논의가 전혀 없었던 것은 정상적인 일이 아니다.

여성과 청년의 눈으로 볼 때, 경제적 구조의 변화에 따른 '적응(adaptation)' 혹은 '보상(compensation)'이라는 점에서 청년은 터무니없이 과소 대표되어 있다. 냉정하게 평가하면, 뭔가 해 볼 수 있는 맹아가 이제 생겨났다는 정도이고, 노인과는 비교할 수도 없고, 여성 대표성에 비해서도 한참 처진다고 할 수 있다.

이런 관점을 한미 fta에 적용해 보자. 정식으로 분석한다면, 업종별로 하나하나씩, 그리고 제도와 관행 등의 변화에 의한 연령별 영향 같은 것들도 잘 분석한다면, 아마 fta 협정문보다 더 두꺼운 보고서가 필요할 것이다. 물론 그런 일은 벌어지지 않았다. 분석하지 않고 고려하지 않았다고 별다른 영향이 없는 것일까?

정규직과 비정규직 체계, 수도권과 비수도권의 격차 강화, 지역 경제의 붕괴 등 한미 fta에서 청년에게 긍정적으로 작용할 조항이나 변화는 거의 없고, 대부분의 청년에게 불리하게 작용하게 된다. 처음부터 미국과의 무역에서는 불리한 조건이기 때문에, 정말로 한미 fta로 인하여 기적과도 같이 다른 나라에 대한 수출이 늘어나는, 경제학 메커니즘으로는 거의 설명하기 어려운 일이 벌어지기 전에는 대부분의 청년들에게 한미 fta는 불리하게 작용할 것이다.

20대가 영어를 상대적으로 더 잘하니까 한미 fta가 새로운 기회가 될 것이라는 얘기를 들은 적이 있다. 상상이야 자유이기는 하지만, 그럼 필리핀의 청년들은 우리보다 훨씬 많은 기회가 열려 있는가? 그런 건 아니다. 한 세대가 아예 집단적으로 이민을 가 버린다는 극단적인 가정을 덧붙이기 전에는, 국민 경제가 안정적인 것이 구성원 모두에게 평균적으로 유리하다.

신자유주의라는 딱딱한 표현을 어지간해서는 안 쓰는 편이지만, 신자유주의가 강화된 IMF 이후의 지난 10여 년 동안 한국의 청년들에게 펼쳐진 세상에 대해서 환기해 보셨으면 한다. 그런 신자유주의 흐름이 더욱 강화된다고 할 때, 한국의 청년들에게 무슨 미래가 있을 수 있겠는가? 이미지와 현실은 다르다. 한국의 수출이 엄청나게 늘고, 우리의 청년들은 세계로 진출할 것 같지만, 그건 어디까지나 이미지일 뿐이다. 지금 청년들에게 필요한 것은 고용 안정성과 적절한 복지, 경제적인 측면에서의 세대 간 왜곡에 대한 시정이다. 한미 fta는 그런 흐름과는 정반대이다. 외교부나 전경련이 한국 청년들의 미래를 고민하면서 한미 fta에 목숨을 걸고 있겠는가?

전통적 제조업만의 문제가 아니라, 한미 fta에서의 문화 부문은 사태를 더 힘들게 한다. 스크린 쿼터의 절반을 아낌없이 뚝 떼어 주었던 노무현 정부의 조치를 생각해 보라. IT 업종이 집중된 중소기업, 문화 산업 등 청년들이 간절히 원하고 또 실제로 한국도 가야 하는 분야들은 한미 fta로 어려워지는 취약 산업으로 분류된다. 수출용 제조업 몇 군데에 목숨 걸고자 했던, 로비력 좋고 청와대에 줄 잘 대는 몇몇 기업이 한국 청년들의 미래 따위는 안중에도 두지 않은 사건이 한미 fta 국회 날치기라고 할 수 있다.

이런 논의 과정에서 청년들의 목소리는 기이하게 낮았고, 정부나 기업에서는 청년들이 부정적 영향을 받을 것이라고는 생각도 못해 본 것 같다. 그러나 쟁점화되지 않았다고 해서 문제가 사라지는 것은 아니다.

내가 생각하는 청년의 4대 권리는 노동권, 교육권, 주거권, 보건권이다(졸저 『혁명은 이렇게 조용히』참고). 청년들의 보건권은 약값의 상승과 건강 보험의 약화에 의해서 당연히 나빠진다. 청년들이 평균적이고 보편적으로 겪게 될 빈곤 문제와 결합되면, 돈이 없어서 병원에 자주 가기 어렵고, 그래서 더더욱 보건적으로 문제가 되는 '헬스 푸어'가 생겨날 것이다. 그렇다면 주거권은? 금융 분야에서 미국의 리먼 브러더스를 파산으로 몰고 갔던 파생 상품을 포함한 신금융 상품이 개방된다. 뭔가 복잡한 것 같지만, 결국은 다음 세대가 써야 할 자산의 일부를 현 시점으로 끌어들여 미리 써 버리게 하는 게 이런 금융 상품이다. 집을 살 가능성이 없는 청년들의 까마득한 미래 소득까지 이렇게 소진해 버리게 된다. '소셜 하우징'이라고 부르는, 일종의 사회적 주거권 형태로 가야 할 LH 공사가 지금도 버블 붕괴가 시작되자마자 천문학적인 부채로 허우적거리고 있다. 여기에 도저히 정부가 제어하기 어렵고, 또 제어할 마음도 없는 신금융 상품까지 개방되어 도입되기 시작하면, 결국 그 몫의 부채는 다음 세대에게 고스란히 남는다.

다른 비유를 들어 보자. 일본의 버블 공황 여파로 일본에서는 정책적으로 제로 금리 혹은 마이너스 금리 상태를 10년 넘게 유지했다. 그렇지만 일본은 경제가 불황이다 보니 자국 내에서 적절한 수익을 올리기가 어려웠다. 이 자금들이 '엔캐리'라는 이름으로 들어온 단기성 일본 자금, 소위 일본발 핫머니라는 것이었다. 물론 이렇게 공식적이고 공개적인 시장으로만 들어온 게 아니라 지금 우리가 보고 있는 합법과 불법의 경계선에 있는 대부업체들을 통해서도 들어왔다. 정부에서는 그 과정에서 거의 손 놓고 있었다. 대부업체에 대한 정부의 관리가 소홀해진 상황에서, 케이블 TV 광고의 상당 부분이 대부업체 광고가 되었다. 물론 일본에서 흘러든 대부업체의 자금이 청년들만을 겨냥한 것은 아니고, 빈민 일반과 취약 계층을 노리고 들어왔겠지만, 대학생을 비롯한 청년들에게 상당한 피해를 발생시킨 것으로 알고 있다. 대학 등록금이나 정규직 숫자만이 청년들의 경제적 삶에 영향을 미치는 것은 아니다. 만약 여성들에게 영향을 미치는 성별 영향 평가 분석 같은 제도가 청년들에게도 제대로 정착되어 있고 어느 정도의 실권이 있었다면 일본계 대부업체들이 물밀듯 들어올 때 정부에서 그렇게 손 놓고 멍하니 있지만은 않았을 것이다. 이미 일이 터지고 곤란하게 된 지금에 와서 대학생들에게 '불법' 대부업체에 대해서 공지하고 통보하는 게 그렇게 합리적으로 보이지는 않는다. 한미 fta에 슬쩍 묻어 들어온 신금융 상품이 일본계 대부업체의 한국 진출보다 영향이 적을까? 아니, 초점을 청춘에게 맞출 때, 그들에 대한 영향이 그보다 적을까?

솔직히 한국에서 우파들이 청년들에게 해 주는 얘기라고 해 봐야, 눈을 낮추라거나 패기를 가지라는 얘기 외에는 없는 것 아닌가? 그보다는 좀 더 진지하고 종합적으로 사안을 볼 필요가 있다. 실제 한국의 외교관들이 이 문제에 대해서 얼마나 진지한 검토를 했을까? 맞고 틀리고를 떠나서, 생각해 본 적이 없을 것이다.

한국에서 50대 보수들과 강남에 집을 가진 사람들은 아마 삼성가와 현대가를 빼고는 가장 잘 대변되는 계층일 것이다. 과잉 대표 현상이 벌어지고 있다고 할 수 있다. 그에 비해서 청년은 극단적으로 과소 대표되어 있다. 청년을 위해서 혹은 청년의 눈으로 한미 fta의 여러 가지 의제와 문제점들을 진지하게 검토한 사람이 과연 정부 내에 혹은 수많은 정부 출연 연구소의 연구원 중에 단 한 명이라도 있었을까?

내가 검토한 바에 의하면, 한국의 청년은 한미 fta의 대표적인 피해 계층이다. 좀 더 넓게 보면, 노무현 정부의 2006년 이후 한국 통상 정책에서 한 번이라도 청년을 주체이든 객체이든 진지하게 고민해 본 적이 있었는가? 옛말에 이런 말이 있다.

동냥은 못 줘도 쪽박은 깨지 마라.

② 소상공인

자영업자라는 말이 있고, 소상공인이라는 말이 있다. 흔히 말하는 구멍가게 주인과 영세업자를 소상공인이라고 보면 된다. 자영업자에는 변호사, 회계사 등 고급 서비스 업종이 포함되고, 이런 분야는 한미 fta에서 기본적으로 보호하고 있다. 아마도 fta와의 관계에서는 5인 미만의 종업원을 기준으로 분류하는 소상공인이 더 적합할 것이다. 참고로 광업, 제조업, 건설업, 운송업에서는 10인 미만의 사업자를 소상공인으로 분류한다(중소기업청, 『중소기업현황』).

2009년 기준으로 우리나라에는 268만 개의 소상공인 업체가 있으며, 이는 전체 업체 수의 87.5%에 해당한다. 종사자는 521만 명 정도로 전체 고용의 40% 정도가 이 항목으로 분류된다. 2012년 기준으로 하면 560만 명 정도가 자영업자로 조사된다. 소상공인이라고 말하든 자영업자라고 말하든 대체적으로 비슷한 500만 명 이상의 국민이 혼자 일하거나 5인 미만 사업장에서 일한다. 소상공인이라는 분류에는 사장과 종업원들이 혼재되어 있다. 사장이든 노동자든, 어차피 대기업이 아니라는 점에서는 별 상관 없다는 말이다. 외국인 노동자를 상징했던 블랑카의 "우리 사장님 나빠요."라는 얘기가 별 의미가 없는 지역이다.

'자본론'의 세계에서 사장이나 종업원이 같은 분류로 들어간다는 것이 좀 이상하기는 하지만, 현실이 그렇다. 소상공인이라고 분류하는 이 세계는 대규모 작업장 중심으로 회사를 생각하는 의미에서의 자본과 노동자의 세계와는 자못 다르다. 소상공인은 자본 쪽 입장일까, 노동자 쪽 입장일까? 농민에 대한 이해가 '자본론'의 세계에서도 어렵듯이, '생산 양식의 소유'라는 기계적인 얘기만으로 소상공인을 이해하기가 쉽지는 않다. 이들에게는 중산층, 서민, 사장, 자본가 등 여러 개념을 다 갖다 붙여도 어색하지 않다. 우리 식으로 생각하면, 소상공인 중에 돈이 좀 있어서 번창했으면 지역 유지, 그렇지 않으면 서민이라고 보면 될 듯싶다.

좌우라는 기준을 자본과 노동이라는 축으로 사용한다면, 소상공인 혹은 자영업자는 어느 쪽에 들어갈까? 이런 식의 분류는 자칫 투박해 보일 수도 있지만, 아무 정보도 없는 순간에 생각보다 많은 정보를 준다. 그러나 소상공인은 이런 분류에서 정보를 미리 알기가 어렵다. 그 나라의 사회 문화적 역사에 따라서 워낙 편차가 크기 때문이다.

스위스의 대표적인 도시인 취리히와 로잔을 비교하면, 정치 성향상 취리히는 우파 도시에 가깝고, 로잔은 좌파 도시에 가깝다. 이유를 따져 보면, 역사적 맥락과 불어권, 독일어권이라는 문화적 맥락 같은 것이 있다. 그렇지만 취리히의 소상공인은 아마 전 세계 어떤 도시의 소상공인들보다 잘 단결되어 있고, 어떤 점에서는 좌파의 흐름에 일치한다. 우리 식으로 말하면 백화점 정도 되는 건물들에 'COOP'이라는 상호를 달고 지역 소상공인들이 각자 자신의 점포를 가지고 들어가서 장사를 한다. COOP은 생활협동조합을 의미한다. 이런 COOP 매장을 살리기 위해서 우리 식의 대형 할인 매장은 시내 중심가로 들어올 수 없고, 심지어는 알코올 음료 등에 대한 판매도 제약하고 있다. 90년대 이후, 거의 전세계에서 유통 자본의 대형화가 이루어졌다. 월마트나 까르푸 같은 게 세계를 휩쓴 것은 글로벌 경제의 또 다른 현상이었다. 이 문제에 어떻게 대응하느냐에 따라서 전 세계 소상공인의 운명이 갈린 것은 물론, 그들의 정치적 성향도 다르게 굴절되었다.

한국의 경우는 대형 매장의 문제를 극우파적이며 쇼비니즘적인 방식으로 대처했다. 자본에 국적이 있느냐는 애매한 문제이기는 한데, 어쨌든 한국 공무원들은 한국의 대기업이 외국의 대기업을 이기면 되는 거 아니냐는 식으로 접근했다. 황당한 방식과 이해이기는 하다. 이 과정에서 입지 제약, 업종 제약, 하다못해 영업시간 제약 같은 것도 거의 도입되지 않았다. 눈을 국내 업체와 외국 업체, 이렇게 국적의 눈으로 보면 뭔가 해결될 것 같지만, 사실 이 과정에서 해결된 것은 아무것도 없다. 살아남는 국내 대기업으로서는 완전 경쟁과는 정반대의 길, 즉 과점 상태에서 독점으로 가기 위한 살 떨리는 경쟁만이 남게 되었다. 소상공인의 경제적 운명은 그렇게 한 축이 결정된 것이다.

이러한 일련의 과정에서, 한국에서 소상공인이 자신을 대변할 수 있는 제대로 된 조직이나 정치적 힘을 가질 수 있는 계기가 생략되어 버렸다. 유럽과 비교한다면, 상가번영회 등의 이름으로 묶인 한국의 소상공인은 지나치게 극우파적인 정치 성향을 나타내는 경우가 많다. 경제가 자신의 실체와 연결되는 경우도 하나의 이념이지만, 그렇게 성숙하면서 분화되지 못하는 경우에는 그냥 정치적 이념이 하나의 실체가 되어 버린다. '레드 콤플렉스' 같은 것이 대표적으로, 비경제적인 정치 이념이라고 할 수 있다. 새삼 이념 얘기를 꺼내고 싶은 것은 아니지만, 한미 fta 등 주요한 현안이 있을 때, 왜 일본이나 유럽에 비해서 한국의 소상공인이 자신의 목소리를 낼 수 없는가를 찾아가다 보면 90년대에서 2000년대를 지나면서 세계화 국면에서 서로 다른 대응을 필연적으로 만나게 된다.

소상공인의 실체를 규정하는 것은 상당히 어렵다. 한국의 외교부는 소상공인을 중소기업 같은 걸로 본다. 외교부는 대기업이 움직이는 것을 규제하면서 중소기업이 움직일 수 있는 공간을 만들어 주는 것을 특히 싫어하고, 이 모든 것을 통상 마찰을 일으킬 수 있는 '사소한 것'으로 이해한다. 자본의 규모를 국민 경제의 기여도라고 생각하면, 외교부에게는 요즘 소상공인들이 주로 내걸고 있는 '골목 상권'이라는 개념은 무가치하며, 통상의 발목을 잡는 약자들의 어리광에 불과해 보일 것이다. 외교부의 고위 관료의 눈으로 보면, 문화적으로 골목 상권이라는 개념은 진짜로 '깜깜한 곳'에 관한 얘기가 아닐 수 없다.

그렇다면 취리히나 파리 같은 곳에서 쉽게 볼 수 있는 대형 할인 매장에 대한 각종 규제책은 전부 WTO 협정 위반이고, 좌파 정부에서 국제 관행이나 규율과 상관없이 마구잡이로 추진하는 정책일까? 그렇지는 않다. 국제적으로 소상공인은 자본의 규모에 따라서 중소기업 정도로 쉽게 취급되지는 않는다.

WTO에서 제일 강력하게 금지되어 있는 것이 수출 보조의 성격을 가진 지원금이다. 만약에 농산물에서 많이 생산할수록 더 많은 지원금을 준다면, 이건 바로 수출 보조금의 성격을 가지게 된다. 그런 이유로 농업에서의 보조금은 소득이나 생산량과 상관없이 농업 직불금의 형태로 디자인된다. 수출과 관련해서 WTO는 비교적 엄격하게 처리하는 경향이 있다. 그러나 여기에 예외가 몇 가지 있는데, 광우병 사태 등으로 한때 민감한 문제로 떠올랐던 공중 보건에 관한 분야이다. WTO는 지역 경제에 대한 지원에 대해서는 비교적 관대하다. 노무현 정부에서 '균형 발전'이라는 개념을 국민 경제 운용의 중요한 방향으로 설정한 적이 있었는데, 실제로 한국에서 이 개념은 기업 도시나 관광 특구, 수도 이전, 아니면 평창 동계 올림픽이나 여수 엑스포 유치와 같은 토건적 방식으로 진행되었다. 한국에서 토건이 아닌 지역 경제에 대한 논의는 사실상 전무했다고 보는 게 현실적이다. 그러나 농업에 대한 지원이나 골목 상권에 대한 지원 같은 것은 그야말로 지역 경제 생태계의 기반을 지키는 것과 마찬가지이고, 가장 확실한 소득 지원책 중의 하나이기도 하다.

　　이렇게 지역 경제라는 눈으로 본다면 소상공인은 전혀 다른 스펙트럼에서 그 존재의 이유가 달리 보일 것이다. 서울에서 돈이 들어온다고 하더라도 지역 경제가 붕괴한 상황에서 토건으로 들어간 돈은 수익금의 형태로 서울로 다시 가게 된다. 백화점의 경우도 마찬가지이다. 백화점과 전통 상점의 경쟁은 20세기 초반, 최초로 백화점이 등장하게 된 이후로 끊임없는 논쟁거리였다. 프랑스의 경우는 의류 분야에서의 '오트쿠튀르'나 치즈 등 전통 식재료에서의 럭셔리 등 끊임없이 소규모 상점이 존재해야 하는 이유를 찾아냈다. 어떻게 보면 닭과 달걀의 논쟁과 비슷하기도 하다. 프랑스나 스위스가 원래 문화적으로 강국이다 보니 명품이라고 번역하는 럭셔리가 중요한 경제적 요소가 된 것이냐, 아니면 그걸 지키고 키워 냈기 때문에 문화 강국이 된 것이냐 하는 논쟁의 모습을 띠고 있다. 같은 현상을 두고, 그건 원래 프랑스가 럭셔리 분야가 강해서 그렇다고 볼 수도 있다. 그게 우리나라 외교부의 시각이다. 그러나 적절한 규제로 문화적 요소가 잉태되고 자라날 수 있는 지역 경제가 필요하다는 것이 프랑스 등 유럽의 시각이다. 이러한 시각들이 당연히 협상의 주요 국가였던 유럽 국가들에 의해서 WTO에도 일정하게 흐르고 있다.

물론 어떤 사람들은 자영업자 혹은 소상공인의 비율이 너무 높으니 이걸 더 낮추어야 한다고 말한다. 수치상으로만 보면 당연한 얘기이기는 한데, 보편적 복지의 틀을 갖추면서 소상공인 보호를 동시에 추진한 나라와, '잔여적 복지'와 '생산적 복지'라는 개념이 이상하게 혼합되면서 실직자에게 현실적인 대안을 만들지 않고 그냥 이 길로 달려왔던 나라의 차이이기도 하다.

크게 본다면, 소상공인을 국민 경제 내에서 어떠한 시각으로 볼 것이냐, 그리고 어느 정도를 적절한 지원으로 볼 것이냐의 논의가 필요하다. 수출 업종만으로 구성된 국민 경제가 불가능한 것처럼, 문화 영역만으로 구성된 국민 경제도 불가능하고, 마찬가지로 소상공인만으로 구성된 국민 경제도 불가능하다. 당연하다. 그렇다고 해도 이런 특수 영역을 지역 경제의 관점에서 보는 시각의 전환이 지금 우리에게 필요하고, 또 재벌들이 유통 분야에서 보여 준 문제점이 워낙 커졌기 때문에, 지난 수년간 이런 방향으로 국민들의 공감대가 자연스럽게 이동하는 중이다.

자, 다시 스위스 사례로 돌아가 보자. COOP이라는 표현은 cooperative, 즉 협동조합에서 나온 것이다. 유기농에 대한 사회적 이해가 개인적 건강에서 '생태적 건전성(ecological integrity)'으로 서서히 이동하면서 소비자생활협동조합, 보통 우리가 생협이라고 부르는 영역이 조금씩 정착하기 시작하였다. 2012년 1월 26일, 연초를 맞아 온갖 법이 한꺼번에 통과될 때 별로 주목을 받지 못했던 '협동조합기본법'의 수정안이 같이 통과되었다. 유력 대선 후보인지는 모르겠지만, 어쨌든 아직은 대선 후보인 손학규가 '손학규법'이라고 부를 정도로 각고의 관심을 기울여서 이 수정안이 만들어지게 되었다. 기존의 300명 이상에서 5인 이상으로 설립 요건을 대폭 낮춘 정도로만 알려져 있지만, 기본법의 정비는 그보다 훨씬 파급 효과가 크다. 주로 식품 그리고 이와 관련된 생활재 정도에서만 활성화된 소비자생활협동조합에서 좀 더 급진적으로 생산자협동조합, 노동자협동조합 등 아직 우리는 국민 경제의 주체로 크게 인지하지 못한 분야가 발전할 수 있는 계기가 이렇게 만들어졌다. 소상공인들이 이런 방식으로 지역 경제의 주요한 주체로 연대하며 협동해서 정치적으로는 물론 경제적으로도 무시할 수 없는 상황이 된 게, 바로 우리가 스위스 취리히에서 살펴본 그 쿱이다.

이렇게 시야를 넓혀서 보면, 한미 fta의 날치기 통과로 가장 정치적인 손해를 본 사람은 손학규가 아닌가? 소상공인은 그 자체로 좌도 아니고 우도 아니라고 할 수 있지만, 한국에서 소상공인은 대체적으로 극우파 토건 단체와 유사하게 움직이는 보수적 조직이다. 노점상들이 자신들의 연대체를 가지고 있는 것과 비교하면, 소상공인은 정치적으로 그런 진보 쪽 단체와는 거리가 멀다. 개인도 그렇고 조직도 그렇다. 이들을 지역 경제라는 시각에서 협동조합에 대한 지원 방식으로 정치적으로 묶어 내자는 게 손학규의 의도였다. 그러나 그는 자신이 만들어 놓은 법률이 얼마나 더 커질 수 있는지, 한미 fta와 연결해서 생각해 보지는 못한 것 같다.

전편에서 주인공으로 등장했던 사람들이 동네 미장원 주인이었다. 전형적인 소상공인 혹은 자영업자이고, 언제든지 국내 자본의 프랜차이즈나 외국 계열사의 공격을 받을 수 있는 사람들이다. 그리고 미장원 주인들이 자신들의 대변 단체를 만들어서 강력하게 투쟁으로 나선다는 건 어쩐지 어색해 보이지 않는가? 그로부터 6년이 흘렀다. 지금 우리는 삼성이 아예 미장원에 들어오는 것을 미장원 주인들이 현실적 위협으로 느끼는 시점을 통과하고 있다. 수년 전에 외국계 대형 할인 매장과 한국계 유통 자본 사이의 전쟁에서 벌어졌던 일이 좀 더 다양한 영역으로 확대되기 직전이다. 어차피 외국계 프랜차이즈가 싹 쓸고 갈 것, 차라리 삼성이 들어가서 국내 자본이라도 보호하자고 하는 게 정부의 시각이고, 외교부의 시각이다.

어차피 무너질 것 아니냐고 생각하는 사람은 선진국에서 지역 경제라는 게 어떤 방식으로 작동하는지에 대한 이해가 전무한 사람이다. 1인당 국민 소득 6만 달러를 넘어가는 나라들은 어떤 형식으로든지, 자국 내의 소상공인이 기댈 수 있는 장치를 만들어낸다. '언제나 위태로운 중산층'이라는 표현이 있듯이, 소상공인의 경우도 영원한 해법은 없다. 안전장치를 만들어 놓으면 대형 자본이 그 족쇄를 풀고 들어오려고 하고, 다시 새로운 제도로 그것을 제한하고, 그러면 또 다른 해법을 찾고…. 영원한 불균형의 연속이다. 그러나 그게 귀찮다고 방기하면, 지난 수년간 보았던 것처럼 서울을 제외한 다른 지역의 경제는 속수무책으로 무너져 내리는 일들이 반복된다. 어쨌든 우리는 지금 경제 활동 인구의 3분의 1이 넘는 사람들에 관한 얘기를 하고 있다. 여기에 알바까지 더하면 상황은 더 심각해진다.

이 대목에서 시점에 대한 얘기를 하지 않을 수 없다. 손학규가 대통령이 될지 어떨지, 그건 모른다. 대통령이 된다면 성공한 대통령이 될지 어쩔지도 알 수 없다. 그러나 최소한 소상공인의 눈으로 볼 때, 한미 fta의 발효가 2~3년만 늦어졌더라도 상황은 완전히 달랐을 것이다. 한국 자본주의 역사에서 처음으로 골목 상권이라는 형태의 문제가 제기되었고, 대선 논의에서 협동조합이라는 의제가 등장한 순간이다. 외교부에서 얘기하는 '소비자 후생'이라는 개념은 이론적으로는 지역 경제 혹은 협동조합과는 정반대의 위치에 서 있는 개념이다. '싼 게 다다'라는 외교부식 사유와 '돈이 다가 아니다'라는 정신이 골목 상권에서 정면으로 부딪친다. 두 힘은 전 세계적으로 충돌하고 있고, 드디어 그 흐름이 한국에서도 생겨나기 시작했다. 협동조합이 대선 의제로 올라온 적이 한국의 역사에서 한 번이라도 있었는지 생각해 보자. 우리는 경제학을 경제학 교과서에서 배웠는데, 자본주의에서 당연하다고 생각하는 제도들이 때때로 이런 교과서에서 빠져 있다. 하도 당연해서 경제학 교과서에 넣을 필요를 못 느꼈는지도 모른다. 협동조합이나 사회적 경제의 경우가 그렇다.

"협동조합은 매우 독특하고 가치 있는 기업 모델로 빈곤을 낮추고 일자리를 창출한다."

반기문 UN 사무총장이 했던 말이다. 2012년은 UN이 정한 협동조합의 해이다. 다국적 기업들이 주도하는 힘과 지역의 작은 경제 주체들이 이끌어 나가는 협동이라는 키워드의 힘이 세계적으로 충돌하고 있다. 소상공인이 한미 fta에서 빼앗긴 것은 그들의 미래이다.

③ 농업

2012년 총선에서 통합진보당의 강기갑 의원은 3선에 실패했다. 그것도 3위로 떨어졌다. 강기갑을 좋아하든 싫어하든, 그는 한국의 농업을 대표하는 아이콘이다. 농촌 지역에서는 강기갑도 어렵다. 만약 강기갑이 서울의 여의도가 포함된 영등포을에서 나왔으면 어땠을까? 당선을 100% 보장할 수는 없어도, 자신의 고향보다는 의미 있는 득표를 했을 것 같다.

fta 논의를 찬성 쪽에서 지켜본 사람이라면 한국에서 농민들의 목소리가 과대 대표되어 있다고 생각할지도 모른다. 그렇지만 다른 나라와 비교하면, 워낙 한국에서 정부가 주도하는 일에 대해서 피해 집단이 자신의 목소리를 내거나 정당하게 대변될 길이 없다 보니 농민들이 주도하는 것처럼 보였을 것이다. 기본적으로 한국 농민들의 정치에서는 '크로스 보팅'이 이루어지지 않는다. 간단하게 말하면, 영남에 사는 농민은 영남에, 호남에 사는 농민은 호남에 투표하는 게 일반적이다. 정치권에서 흔히 얘기하는 '집토끼와 산토끼'에서 농민들은 집토끼에 해당한다. 어쨌든 고향 친구에게 투표하는 게 정설로 되어 있기 때문에, 한미 fta와 같은 경우에 기본적으로 농민들의 목소리는 과소 대표되게 되어 있다.

한국에서 농민들은 국민의 7% 정도를 차지한다. 선진국의 경우는 2~3% 수준이다. 고령화 정도가 높기는 하지만, 그건 일본 등 다른 나라의 경우도 마찬가지이다. 전체적으로 본다면, 선진국에 비해서 우리나라 농민 비율이 2배 이상 높지만, 목소리가 그 정도 된다고 보기는 어렵다. 여기에는 몇 가지 이유가 있다.

세상에서 농민들의 목소리가 가장 큰 나라는 어디일까? 상식적으로는 미국의 농민이 가장 크다. 1929년 대공황을 치르는 과정에서 한국 사람들은 테네시 강 개발을 가장 인상적으로 기억하는 것 같다. 그러나 루스벨트의 '뉴딜'이 집중된 분야는 바로 농업이었고, 세계 최고의 경쟁력을 갖춘 미국 농업이 이때 생겨났다. 썬키스트가 협동조합이다. 곡물 회사로 악명 높은 카길도 기본적으로는 협동조합이 그 뿌리이고, 주식회사로 상장되어 있지도 않다. 외부에서 보면 악명이지만, 내부에서 보면 경쟁력이기도 하다.

미국이라는 특수성을 빼고 농민들의 목소리가 큰 나라는 대표적으로 덴마크와 영국을 들 수 있다. 우리는 유럽의 각국을 다 비슷비슷하다고 분석하는 경향이 있는데, 나라마다 근대화를 겪는 방식이 조금씩 달라서 생각보다 차이가 크다. 덴마크는 우리 식으로 말하면, 농민회가 근대화를 이끈 나라라고 할 수 있다. 세계 최강의 낙농 국가라는 덴마크의 농업은 제도나 기후가 만든 것이 아니라 이런 역사적 전통이 만들었다고 볼 수 있다.

영국도 농민들의 목소리가 특히 크다. 2001년 광우병 파동을 겪으면서 식품 안전과 농업을 중심으로, 환경부는 물론 교통국까지 합쳐서 '데프라(DEFRA:Department for Environment, Food and Rural Affairs)'를 만들었다. 우리 식으로 말하면, 농림수산식품부를 중심으로 보건복지부 일부를 합친 것이다. 광우병 파동을 겪으면서 이런 식으로 정부 직제를 개편했는데, 상당히 성공적인 것으로 평가받고 있다. 영국 농민의 목소리가 커진 역사적 배경으로는 2차 세계 대전 당시의 고립 상황을 거론하기도 한다. 해상 봉쇄로 포위된 런던은 고립되었고, 도시는 굶주렸다. 2차 세계 대전의 충격이 지금까지 문화적으로 남아 있을까 싶지만, 그 후에 농민들의 목소리가 전통적으로 아주 커졌다. 이런 나라들에 비해, 한국은 농민의 숫자는 상대적으로 많아 보이지만 정치적 권한이 크지는 않다.

전체적인 흐름으로 보자면, 농업을 지켜야 하는 이유는 시대에 따라 바뀌어 나간다. 전후 복구 과정에서는 냉전의 흐름이 강했고, 'green weapon'이라는, 식량 무기화에 대한 논의가 실제로 유럽 사회의 농업 담론을 이끌었다. 미국이든 소련이든, 언제든 식량 수출을 금지할 수 있다는 냉전 시대에 이런 논의는 나름 강력한 정책의 사회적 기반이 되었다. 냉전 종료 이후에는 환경과 식품 안전이 유럽에서의 농업 담론을 이끄는 새로운 축이 되었다. 스위스의 경우가 이런 새로운 흐름을 적극적으로 받아들인 대표적인 경우라고 할 수 있다. 미국과의 fta 협상 중 농업 분야에 대한 추가적 재정 지출과 관련된 국민 투표가 실시되었다. 투표에서 농업 측이 승리하였는데, 스위스 정부는 이것을 사실상 미국과의 fta 협상에 대한 국민적 거부라고 해석하였고, 협상은 종료되었다. 스위스의 농민은 국민의 2% 정도 되지만, 농민의 발언권이 국정에서 약하지는 않다. 스위스에도 다른 산업 분야에서 농업을 지원하는 것에 대한 반발이 없었던 것은 아니지만, 국민 투표를 통해서 그런 사회적 의사 결정을 내렸다. 농민이 적다고 해서 한 국가의 농업에 대한 지지가 약하다고 볼 수는 없다. 유럽의 평균적 기준으로 친다면, 한국의 농민들은 사회적 발언권이 훨씬 약하다. 내 식으로 표현하자면, 한국의 농업은 아직 '시민들의 지지'를 강하게 받고 있지 못하다고 할 수 있다. 우리는 시민 사회 속에서 왜 농업을 지켜야 하는지 충분히 질문하지 못했고, 그 사회적 이유를 아직 만들어 내지 못했다. 그러다 보니 노동자나 중산층은 농업이 망하면 그들에게 갈 지원금이 자신들에게 올지도 모른다는, 복잡미묘한 계산을 하고 있는 듯하다.

한국보다 늦게 시작했지만 한미 fta 국회 통과를 논의하던 시점에 TPP를 추진했던 일본의 경우와 비교하면, 한국 농업의 기이한 점이 더욱 잘 드러난다. 일본 의회에서 의원들에게 반대 서명을 받고 반TPP 전선을 이끌었던 단체는 소위 '전중' 혹은 JA(Japan Agricultural Cooperatives) 그룹이었다. 전국농업협동조합중앙회의 약자이다. 일본 농협이나 한국 농협이나 그게 그거 아니겠냐고 하는 사람이 많지만, 최소한 fta와 TPP에서 두 단체가 했던 일은 극단적으로 차이가 난다.

한국의 농협은 개방의 유보 조건에서 농협의 사업 영역은 물론이고 이사회 자리까지 전부 보호 목록에 올려놓았다.

> 대한민국은 농협·산림조합 및 수협에 의한 농업·수업·임업 및 어업 부수 서비스 공급과 관련하여 어떠한 조치도 채택하거나 유지할 권리를 유보한다. (부속서 II, 대한민국의 유보 목록 중)

> 한국주택금융공사, 농업협동조합 및 수산업협동조합의 최고 및 차상급 경영책임자 및 이사회의 모든 구성원은 대한민국 국민이어야한다. (부속서 III, 대한민국의 유보 목록 중)

거칠게 얘기하자면, 한미 fta에서 한국의 농협은 농협을 지키느라고 최선을 다했고, 일본의 전농은 일본의 농업을 지키느라고 최선을 다했다고 할 수 있다. 농협이나 전농이나, 농민들이 조합원인 것은 마찬가지이지만, 농업 혹은 농민을 지키는 일에서 방향은 전혀 다르게 나타났다. 가끔 신경 분리라고 부르는, 농협 내의 신용 파트와 경제 파트, 즉 농업을 지키는 것이 분리되는 일 때문에 농협이 농업에 신경을 못 쓰는 것이라고 하지만, 그건 좀 아니다. 전농의 JA 그룹 내에 이미 금융 업무와 경제 업무가 분리되어 있다. 신경 분리와 농업 지키기는 별로 연관이 없어 보인다.

이걸 설명하는 데 가장 좋은 방식은, 지방 토호와 부재지주라는, 일본에서는 그렇게 익숙하지 않은 개념을 살피는 것이다. 먼저 부재지주부터 살펴보자. 이제는 한국과 일본에 공통적으로 유명해진 '토건족'이라는 표현이 있다. 이건 한국과 일본의 상황이 유사하다. 그렇지만 부재지주는 일본이나 유럽에서 그렇게까지 심각한 문제를 일으키지 않았고, 유독 한국에서 문제가 되었다. 따져 보면 부재지주 문제가 없는 나라는 없다. 유럽에도 '융커'라는 이름으로 불리는, 전통적 영주들이 있고, 그들의 토지는 상당부분 전승되었다. 그러나 한국처럼 농지를 직접 투기의 대상으로 삼는 경우가 일본이나 유럽에서는 벌어지지 않았다. 부재지주 자체로도 언제든지 터질 수 있는 문제이지만, 직불제가 도입되면서 문제를 일으켰다. 직불제는 농민에게 생활 보조금으로 지급되는 제도인데, WTO에서 수출 보조금을 금지하는 독특한 제도 때문에 활성화되었다. 소작인이 농사를 짓는 경우 직불금은 당연히 경작인에게 가야 하는데, 우리는 농민이 아닌 경우 농지를 제한적으로만 소유할 수 없도록 하고 있다. 불법이지만, 현장에서는 음성적으로 지주들이 소작인에게 이 직불금을 내놓으라고 한다. 소작을 원하는 사람은 얼마든지 있다는 게 그 이유이다. 지역에 따라서 농민회 같은 농민 단체들이 불법 직불제 수령을 공동체 차원에서 감시하기도 하지만, 대부분의 지역에서는 여전히 부재지주에 의한 직불금 강탈이 벌어지고 있다. 이 문제가 사회적으로 도마에 올랐던 것은 2008년 봄, 고위 공직자와 공기업 임원들이 부재지주로서 직불금 부정 수령이 드러났을 때이다. 물론 여론이 한창 뜨거울 때 주로 공공 부문에 속한 부재지주들에 대한 비난이 잠시 있었지만, 기본적으로는 부재지주들이 잠재적 농지 투기꾼이자 사회 지도층이기 때문에 여론은 금방 덮었다. 직불제를 도입한 국가라면 현재의 제도에서 부재지주의 직불제 강탈이 언제든지 벌어질 수 있지만, 한국처럼 문제가 전면적으로 벌어진 적은 없었다. EU와 일본에서는 '생산적 농민'과 같은 개념을 통해서, 실제 영농에 참여하는 사람들만 직불금을 받아 갈 수 있도록 제도 개선을 추진하고 있다. 한국의 경우 아직 공식적으로는 그런 논의가 없다. 이 상황이 기묘한 것이, 부재지주는 기본적으로 농사를 잘해서 그 땅에서 생산을 늘리는 것에는 별로 관심이 없다는 것이다. 이자율에 비하면 소작료는 터무니없이 비싸다. 그나마 이게 생산이 늘어나야 유일하게 자신의 이익이 늘어난다. 자신이 소유하고 있는 땅이나 자기 입장에서 보면 어처구니없이 적은 소득이다. 물론 불로소득이다. 그러나 농사가 되든 말든, 땅앞으로 나오는 직불금을 자신이 수령할 수 있게 된다. 불로소득이며, 경제 정의라는 관점에서는 부당하고, 법률적 관점으로 보더라도 불법이다. 다만 현실적으로 소작인이 이 사실을 정부에 고발할 수 없기 때문에 그냥 넘어가는 것이다. 부재지주가 진짜로 자신이 기도한 불로소득을 받게 되는 경우는, 해당 지역의 농업이 망하는 것이다. 제일 많이 벌어지는 것은 그 지역이 골프장 건설이나 국가가 추진하는 대형 메가 이벤트의 개발지로 편입되는 일이다. 4대강을 이끌어 나간 힘 중의 하나도 이런 부재지주들이 아닌가? 이들은 중앙 정부의 제도 변화에도 개별적으로—결국 공무원이나, 그 실무를 맡는 공기업이나, 그걸 제도화하는 국회의원이나, 그걸 감시해야 하는 언론이나—대한민국의 상층부와 기득권이라면 어디든 박혀 있다.

공무원들은 부재지주 문제를 잘 인정하지 않는다. 그러나 이런 현실을 염두에 두고 2013년의 농업 현황을 살펴보자. 그럼 한국과 일본의 농업이 한미 fta와 TPP에서 각각 다르게 대응하고 움직인 정황 같은 게 드러난다. 중앙에서 직접 제도를 만들거나 여론을 주도하는 사람들은 부재지주이거나 부재지주의 친구 혹은 동창들이다. 농협은? 기본적으로 지금 한국의 지역 농협은 지방 토호들 동호회처럼 되어 버렸다. 한국 농민들의 평균 토지 보유는 3,000평쯤 되고, 암산을 위해 쉽게 하자면 이게 1헥타르 정도 된다. 노무현 정부 때, 정부가 일종의 기간 농민처럼 국가의 총력을 기울여서 만들려고 했던 농민들이 6헥타르 농민이었다. 그 이상의 토지를 가진 사람들은 농촌에서 자연스럽게 유지의 위상을 가지게 된다. 그런 사람들이 결국 지역 농협의 이사회를 구성하는 사람들이다. 조금 더 거슬러 올라가, 박정희 시절의 새마을 운동까지 올라가면 많은 경우, 같은 사람을 만나게 된다.

1헥타르 미만의 토지를 보유한 농민들은 대토, 즉 부재지주 등으로부터 땅을 빌리게 된다. 우리가 알고 있는 한국의 평균적인 농민들은 이 수준에서 살아간다. 이들을 A그룹이라고 하자. 그리고 그들 옆에 노무현 시대에 "돈을 빌려서라도 6헥타르를 가져라"라는, 소위 6헥타르 정책에 의해서 융자를 받아서든 원래 부자였든, 나름대로 한국에서는 대농의 위치에 간 사람들이 있다. 이들을 B그룹이라고 하자. 그리고 흔히 부재지주라고 부르는, 그곳에 살지 않거나 지방 공무원같이 나름대로 직장을 가진 사람들이 있다. 이들을 C그룹이라고 하자. 유학 가기 전 대학 시절부터 이미 주말마다 농사를 지었다는 청와대 고위직, 지금도 주말에 농사를 짓는다는 정부 고위 관료, 땅을 무척 사랑해서 은퇴하면 농사지을 땅을 먼저 구한 것이라는 장관 후보, 이런 사람들은 C그룹에 속한다. 그리고 직접 농사를 짓지는 않지만 넓게 보면 농업에 속한 사람, 예를 들면 한미 fta 협정문에서 자리를 보장받은 농협의 간부와 같은 사람들, 이런 사람을 D그룹으로 분류하자. 넓게 보면 이들이 모두 한국의 농업에 속한 사람들이다.

A그룹에 속한 사람은 한미 fta로 이득을 볼 일이 거의 없고, 특별한 예를 제외하면 무조건 피해를 본다. 상식적으로 A그룹은 외교부나 새누리당 혹은 민주당에서 농촌 지역의 '피해 대책'이라고 말하는 정책의 혜택을 받아야 한다. 그러나 직불제의 경우에

서 보듯이, 실제로 정책을 수립하고 자금을 만들어도 A그룹에 '배달'하는 것은 어렵다. 일정 규모의 대농이 아니면 지원 대책이 있다는 것을 알기도 어렵고, 설령 직불제 같은 게 시행된다고 해도 C그룹에 속한 부재지주들이 가로채 가는 경우가 많기 때문이다. 돈이 아니라 차라리 비료와 같은 현물로 달라는 요구가 있기는 하다. 그러나 WTO 체제하에서 그렇게 주기는 어렵다. 상황이 이렇다.

B그룹은 한미 fta의 수혜 그룹이 될 가능성이 높다. '눈먼 돈'이라고 부르는 정부의 보조금들을 가장 먼저 챙겨 가고, 상대적인 정책 배려의 수혜자가 보통은 B그룹에 집중된다. 재주는 A그룹이 부리지만, 돈은 B그룹이 챙겨 간다. 실제로 한미 fta에서의 농업 피해는, 원래부터 결정된 돈을 합산한 것에 불과하다. 그러나 이명박 정부만 탓하기는 어렵다. 노무현 정부에서 '농정로드맵 10개년 계획'을 세울 때에도, 역시 이미 결정된 장기 계획의 분류를 바꾸는 일만 했었다. 어쨌든 추가적인 지원이 생기면, 지역에서 이미 토호가 되었거나 곧 되려고 하는 B그룹에서 집중적으로 가지고 간다. 이들이 민주당을 밀면 그 지역이 민주당 지역이 되는 것이고, 새누리당을 밀면 새누리당 지역이 된다.

일본 농업과 한국 농업의 결정적 차이는 이 B그룹의 행동 양식에 있다고 할 수 있다. 일본의 전농과 한국의 농협이 TPP와 fta에서 서로 다른 대응 양식을 보여 준 것은, 농협의 개혁 여부나 협동조합으로서의 본업에 얼마나 충실할 것인가의 문제는 아닐 듯싶다. 간단히 말하면, 한국의 부농들이 부패했다고 할 수도 있고, 토호들이 이미 중앙 정부를 좌지우지하는 법을 체득했다고 할 수도 있다. 정치만 보면, 실제로 가난한 농민들 한 명 한 명의 마음을 사는 것보다는 B그룹, 즉 농촌 지역 토호들의 마음을 사는 게 더 빠르다. 호남이든 영남이든, 한미 fta가 무슨 피해를 주더라도 토호들에게 '눈먼 돈'을 배달하는 것은 상대적으로 쉽다. 이게 농림수산식품부가 주로 하는 일이다. 물론 노무현 때에는 '규모화', '수출화'라고 말했고, 이명박 때에는 방식은 똑같은데 뭔가 화끈한 개념을 제시하지는 않았다. 그래서 잠바가 아니라 양복을 입었다고 장태평 농림수산식품부 장관이 혼쭐이 나고 옷을 벗은 것 아닌가? B그룹에 속한 대표적인 인사가 노무현 때 키위 수출농으로 영웅이 되었다가 이명박 정부에서 광우병 파동 때 '운명의 장관'이 된 바로 그 정운천이다.

C그룹은 부재지주들, 바로 한국의 지도층 인사들이다. 노무현 초·중반, 농지 투기가 한창 뜨겁고, 정부가 농지법을 개정해서 곧 일반인들이 농지를 살 수 있게 풀어 준다고 했을 때, 테헤란로에 우후죽순 생겨난 부동산업체들이 주로 했던 일 중 하나가 바로 이 농지를 필지 분할해서 투기꾼들에게 매각하는 일이었다. 말이 좋아 투기꾼이지, 유명한 진보 인사들 중에서도 농지를 매입했던 사람들이 있다. 이들은 농업이 망하면 망할수록 이득이 높아지는

사람들이다. 역설적이기는 한데, 그게 한국에서 논보다 밭이 비싼 이유이기도 하다. 원래는 더 좋은 땅에 논을 만들고 열등지에 밭을 만들었는데, 투기가 일상화되다 보니 농지의 가치가 뒤집혔다. 장관급 인사, 공기업 임원, 법조계 고위직들이 한국의 장래를 보면서 정책을 만들거나 처리하게 되어 있다. 그리고 그런 시각에서 농업에 대한 의견이 형성되는 게, 정상적인 국가라면 당연하다. 그러나 C그룹에 속하는 부재지주의 개인적 시각으로 보면, 농업이 망하는 게 자신에게 더 도움이 된다. 얼마나 비정상적인가? 게다가 기본적으로 이건 헌법 위반이다.

D그룹, 직접 농사를 짓거나 농업에 종사하는 것은 아니지만, 정책 결정이나 정책 집행에 관련되어 있거나 농업에서 나오는 돈으로 월급을 받는 사람들. 간단하게 말하면 MB 정부의 방송 장악과 같은 일이 광범위하게 일어나는 영역이라고 보면 된다. KBS 사장과 MBC 사장, 단 두 사람을 통해서 전체 공영 방송이 흔들리는 과정을 보지 않았는가? 그나마 방송은 민감하고, 사회의 다른 영역과 시민들이 직접적으로 체감하니까 반발이 있는 것 아닌가? 아무도 관심 갖지 않고, 시민들도 별로 민감하지 않은 영역에서는 방송 장악보다 더한 일이 벌어지는 게 당연하다. D그룹에 속한 사람들이 개별적으로 한미 fta에 반대했든 찬성했든 그건 중요하지 않다. 현 정부에서 자신의 양심에 따른 발언을 하는 등 개별적 입장을 밝히는 것은, 목을 걸고 양심선언을 하는 것과 마찬가

지이다. 한국농촌경제연구원, 농업협동조합, 수많은 대학의 농업 경제학과 교수 내부에 한미 fta에 반대하는 사람이 없는 것은 아니다. KBS나 MBC 내부에도 사장을 비롯한 고위직이 선호하는 '땡전 뉴스'에 불만을 품은 사람이 많지만, 그렇다고 해서 방송 장악의 흐름과 다른 목소리를 담은 뉴스가 나오는 것은 아니다. 마찬가지이다.

한국 농업의 현재 구조를 살펴보면, 한국의 평균적 농민이자 비상 재해 등 수급 불안으로 매번 피해를 보고 희생되는 사람들은 A그룹이고, 농민의 대부분이다. 그러나 농정의 상층부에 해당하며, 정부가 어떻게 하든 직접적 이익을 더 많이 챙길 수 있는 B그룹, C그룹, D그룹은 농업이 어려우면 어려울수록 오히려 더 많은 이익이 생겨난다. 한국의 대부분의 농민인 A그룹은 당할 만큼 당하면서도 보호받지 못하고, 오히려 국민들에게는 "너무 이익만 챙겨 가는 거 아니냐" 혹은 "세상 물정 모르고 자기들 이익만 생각한다"는 눈총만 받게 된다. 농민이 밑바닥부터 붕괴해서 어려워지는 것은 주부와 아동들만이 아니라, 경제적 약자들이다. 멕시코의 농업 붕괴가 '인디오'들에게는 더 치명적이었다. OECD에 가입할 정도의 국가에서 농민군의 반란이 일어난다는 게 믿어지는가? 나프타는 1992년 체결되었고, 1994년 발효되었다. 마야계 원주민들을 중심으로 사파티스타 민족해방군이 봉기한 것은 1994년이다.

핸드폰 팔아 쌀 사 먹으면 되는가?

④ 의료비 카타스트로프

카타스트로프는 원래 문학 용어이다. 대단원으로 넘어가는 마지막의 변곡점을 말한다. 그렇지만 요즘의 일상용어로는 대재앙 정도의 의미를 가지고 있다. 비극적 결말이 우리 눈앞에 죽 펼쳐진 순간을 의미한다. 이런 용어가 사회 과학과 관계가 있을까 싶지만, 의료 분야에서 사용된다. catastrophic health expenditure라는 용어는 번역이 좀 어려운데, 한국에서는 문학적 느낌과 사회적 느낌을 탈색시켜서, '과부담 의료비' 정도로 번역한다 (「가계부담의료비의 구조와 특성」, 2011, 서남규 · 한은정 · 황연희 · 정의신 · 문성웅 · 최재영, 건강보험정책연구원, 『연구보고서 2011-9』).

원래 이 용어는 베트남 지역에서의 의료비 지출에 관한 연구로 유명해진 개념이다. 식료비 등 꼭 지불해야 할 돈을 제외한 가처분 소득 중에서 의료비가 차지하는 비중을 알면 그 사회의 빈곤층이 얼마나 고통을 당하는지 알 수 있다. WHO에서도 국제 비교에 종종 사용한다. 카타스트로프만큼이나 극적인 뉘앙스를 가진 용어인데, WHO 같은 공식 기관에서 사용하는 어감을 살려서 의역한다면, '의료비 개박살 집단' 정도가 정확할 것이다. 물론 정부 기관이나 정부 연구소에서 이런 용어를 쓰기는 어렵다. 그러나 외국의 공식 기관에서 catastrophic이라는 단어를 쓴 것은, 그만큼 사태가 심각하다는 것이고, 굉장히 정직한 표현이다. 한국은 매우 튼튼한 공보험인 건강 보험이 있지만, 아시아 지역에서의 비교 연구에서는 지표상 중간 정도로 나온다. 공적 의료 보험이 지불하는 돈 외에 개인이 별도의 돈을 지불하는데, 이걸 보장성이라는 지표로 표현한다. 67~68%를 왔다 갔다 하는데, 나머지 돈은 개인이 내야 한다는 것이다. 보장성이 100%가 되면 카타스트로프는 사라진다. 공보험 외에 개인이 지불해야 하는 돈이 추가로 발생할 때, 재정학에서는 '역진성'이라고 부르는 결과가 벌어진다. 반대말은 누진성인데, 돈이 많으면 많을수록 세금이 더 늘어날 때 누진성이 높다고 하고, 이런 방향을 경제적 정의가 높은 방향으로 이해하면 된다. 부가 가치세가 대표적인 역진세인데, 새우깡이나 라면은 부자가 먹든 가난한 사람이 먹든, 세금을 똑같이 낸다. 물론 한국에서는 소득에 따라 건강 보험 지불액에 차등을 두어 역진성을 줄이려고 노력한다. 이명박 대통령 등 유명인들이 야인 시절에 위장 취업을 했다는 얘기는, 건강 보험료를 줄이기 위해서 월급을 조금 받는 것처럼 처리했다는 뜻이다.

우리나라에서는 7,800여 가구를 대상으로 한국 의료 패널 조사를 실시한다. 식료품 등의 지출 내용이 조사 항목에 없어서 국제적으로 비교하기는 어렵고, 전수 조사가 아니라서 어느 정도는 감안하고 보아야 한다. 이 자료를 가지고 소득 분위별로 의료비 지출 비율을 놓고 그림을 그려 보면 다음과 같이 나온다. 참고로,

1분위는 소득 하위 20%, 5분위는 상위 20%를 말한다. 그리고 이 두 집단의 소득 비율을, 소득 불평등을 나타내는 지니 계수라고 부른다.

전체적으로 5분위 집단 즉 상위 소득 20%에서는 15~25% 이상 지출이 줄어드는 반면, 하위 소득 20%에서는 줄어들기는 하지만 정도가 많지 않다는 것을 알 수 있다. 의료비 5%를 지출하는 집단에서 1분위는 38.38%, 5분위는 7.59%이다. 그런데 의료비 25%를 지출하는 집단에서 1분위는 66.53%로 상대적 비중이 급격히 늘어나는 반면, 5분위는 0.40%만이 이 집단에 속한다. 2009년 기준으로, 한국에서 의료비 지출이 10%인 가구는 14.88%, 15%인 가구는 8.84%, 25% 이상인 가구는 3.99%이다. 이 세 집단을 더하면 27.71%가 된다.

지극히 상식적인 얘기지만, 의료 보장성이 높지 않은 나라에서는 결국 개인이 더 많은 돈을 의료비에 지출하게 되는데, 가난한 사람들이 아프면 더 고통스럽다는 의미이다. 당연한 얘기인가? GDP 대비로 우리나라는 공적으로 4.1%를 지출하고, 사적으로 2.9%를 지출한다. 독일은 공적으로 8.9%, 사적으로 2.7%를 지출한다. 영국의 경우는 공적으로 8.2%, 사적으로 1.6%를 지출한다. 영국은 정부에서 우리의 2배 정도를 내고, 개인은 우리의 절반에서 약간 넘는 수준을 낸다. 미국의 경우는 약간 황당하다. 노인을 위한 의료 보험인 메디케어와 빈민을 위한 의료 보험인 메

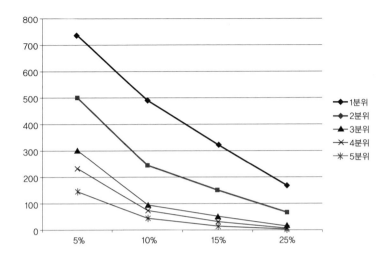

(그래프 범례)
◆ 1분위
◆ 2분위
▲ 3분위
✕ 4분위
✳ 5분위

〈가구 소득별 과부담 의료비 발생 건수〉

디케이드 등을 포함하여 공적 지출이 8.9%로 높은 편인데 동시에 사적 지출도 9.1%로, 다른 나라와 비교할 수 없이 높다. 체코의 사적 지출이 4.4%로 약간 높고, 캐나다와 멕시코도 3%대로 높은 편이다. 스위스가 4.6%로, 선진국 중에서는 높은 수치이다 (OECD, 2012년 factbook).

개인의 의료비에서 중요한 것은, 한국에서는 어쨌든 개인의 부라고 할 수 있다. 흔히 보장성이라고 하는 이 변수는 그 나라의 의료 보장 체계와 직접 관련되어 있다. 한국은 미국 수준까지는 아니고, 멕시코보다는 사정이 좀 낫지만, 공적으로 8.1%를 의료비로 지출하는 캐나다보다는 어려운 수준이라고 볼 수 있다. 어쨌든 한미 fta가 아니라면 우리가 가야 할 의료 정책은, 그것이 사 보험의 형태이든 의료비 추가 지출의 형태이든, 개인의 지출을 낮추는 방향으로 가는 게 맞다. 시민운동과 민중 운동은 이 방향으로 가고 있었고, 정부가 추진하는 영리 병원화와 민간 보험에 대한 규제 철폐는 그 반대 방향이다. '품질 좋은 의료 서비스'란 뒤집으면 부자들에게 더 편한 의료 서비스를 만든다는 말 아닌가? 이렇게 두 가지 힘이, 노무현 시대 이후로 이명박 시대를 거치면서 정면으로 충돌하고 있었다.

정부가 국민들에게 건강 보험에 대해서 걱정하지 말라고 했던 말과 의료 민영화가 없다고 했던 얘기는 믿을 수 없다. 한미 fta 협정문에까지 들어간 제주도의 영리 병원이 결국은 건강 보험과 무관하게 작동할 수 있는 영리 영역을 늘리고, 궁극적으로는 민간 보험 쪽에 힘을 실어 준다는 건 너무 뻔한 얘기 아닌가? 게다가 이 정책은 노무현 때 추진된 것이다. 그도 정부가 지금의 의료 보험 체계를 유지하기는 어렵고, 결국은 미국처럼 사적 보험이 강화되는 형태로 갈 것이라고 예상했던 것 아닐까? 이 싸움은 길게 보면 민간 보험사와 중산층과 가난한 사람들 사이의 전쟁과 같은 것이다. 5분위인 상위 20%도 99:1의 프레임에서 보면, 현실적으로 그렇게 넉넉한 사람들이 아니어서 의료 지출이 문제가 된다. 그러나 1%의 경우에는, 삼성병원이나 아산병원이 더 늘어나고, 차별적이며 질 좋은 격리형 서비스가 제공되는 편이 나을 수 있다. 자기 재산에 비하면 그렇게 큰 돈도 아니니까 말이다. 결국 공보험인 건강 보험을 무너뜨리는 편이, 의료 보험이라는 상품을 둘러싼 금융 자본의 눈으로는 더 이익이다. 이 전쟁에서 이명박 초·중반을 거치면서 정부도 한발 양보한 상황이다. 적어도 한미 fta가 발효되기 전까지, 한국에서는 공보험의 보장성을 높이는 방향으로 정책이 전환하고 있었다. 학교 급식 다음 과제가 '건강 보험 하나로', 곧 중산층 이상이 공보험에 대한 지출을 약간씩 늘리면서 사보험을 줄이는 것, 즉 건강 보험 하나만 가입되어 있으면 사보험이 필요 없는 상황으로 설정된 게 우연한 일은 아니다. 사회적 힘이 그 방향으로 가고 있었다.

여기에 또 하나 추가되는 것이, 다국적 제약 회사와의 갈등이다. 이건 우리나라만의 문제가 아니라 UN 차원에서도 별다른 해법을 못 찾고 있다. 흔히 복제 약이라고 불리는 카피를 얼마나 허용할 것인가의 문제가 아니다. 이렇게 질문해 보자. 예방약을 개발할 것인가, 치료약을 개발할 것인가? 일반인 입장에서는 당연히 예방약을 개발하는 편이 좋고, 그게 싸게 먹힐 것이다. 당연하지 않은가? 그러나 이윤 법칙에 의해서 움직이는 제약 회사, 그것도 과점 상황에 있는 다국적 제약 회사로 입장을 바꾸어 보자. 당연히 치료약 쪽이 자사의 전략적 가능성도 높여 주고, 이익도 커지지 않겠는가? 잔인하지만, 이미 벌어진 현실이다. 다국적이든 아니든 제약 회사들이 알아서 미리미리 백신을 만들어 주고,

충분한 투자를 하면 좋겠지만, 현실은 그와 반대로 가고 있다. 제때 백신을 개발하고 충분한 분량을 확보하는 것들이 WHO 등 국제기구나 각국 정부가 가장 골머리를 앓고 있는 문제이다. 실제로 제약 회사들이 더 관심을 기울이는 건 적은 투자로 많은 이익을 낼 수 있는 다이어트 보조제 아닌가? 예방과 치료 중에서 개인과 공공은 당연히 예방에 관심이 많지만, 제약 회사나 병원의 현실은 그렇지 않다. 예방의학과가 차지하는 위상을 보면 알 수 있다.

1990년대 이후에 자동차, 전자 등 많은 분야에서 세계화와 함께 독과점화가 이루어지고 있는데 다국적 제약 회사도 마찬가지이다. 특히 분야별로 몇 개 회사가 과점 형태로 생산을 하게 된다. 경쟁을 통해 기술 혁신이 이루어지고 가격이 낮아진다는 교과서 속 세계와는 하늘과 땅 차이이다. 독점 이윤 현상이 벌어지고, 게임 이론의 전략이 난무한다. 물론 자동차의 경우는 몇몇 특정 업체가 독점하더라도, 품질에서 약간 손해를 보거나, 조금 비싸게 사서 억울하다고 느끼면 그만이다. 그러나 제약의 경우는 성질이 전혀 다르다. 자동차의 여러 품질 중 사람의 목숨과 관련된 안전은 그중의 하나일 뿐이다. 그러나 제약은 그 자체로 인명과 직접 연관되는 경우가 많다.

한미 fta와 관련하여 빈곤과 함께 영향을 받은 또 다른 축은 '희귀 난치성 질환'이라는 개념이다. 미국에서는 20만 명 미만을 유병 인구로 정의하고 있으며, 일본에서는 5만 명 미만으로 정의한다. 유럽연합에서는 인구 만 명당 5명으로 정의한다. 우리나라의 경우는 '희귀의약품 지정에 관한 규정'이라는 고시를 통하여 2만 명 미만의 환자가 있는 경우로 규정한다. 미국의 경우는 6,000종 정도의 희귀성 질환이 존재하며, 2,500만 명이 이런 질환을 앓고 있는 것으로 추정된다. 우리나라 의료 보험에서 인정하는 희귀 난치성 질환은 132종이다. 환자는 50만 명 정도로 추정되는데, 200만 명 정도라고 추정하는 곳도 있다.

　백혈병 치료제로 사용되는 글리벡은 한국에서 한 해 매출 900 억 원 규모이다. 의료 보험이 적용되기 때문에 환자들은 10% 정도 지불하며, 이 약으로 생명을 연장시켜 왔다. 신자유주의와 제약 산업 얘기를 할 때 빠지지 않는 대표적인 약품이 바로 글리벡이다. '제네릭'이라는 복제 약을 얘기할 때에도 대표적으로 등장하는 약이다. 한국에서 특히 글리벡이 자주 거론되는 것은, 지금처럼 10%만을 지불하게 되기까지 극적인 투쟁이 있었기 때문이다. 2002년 환자들이 직접 환자복을 입고 국가인권위원회를 점령하였다. 3년간에 걸친 투쟁 끝에 70%였던 의료 보험 지급액을 80%로 올렸다. 그리고 제약 회사인 노바티스 측을 설득하여 환자들에게 10%를 돌려주도록 했다. 어차피 10%를 돌려줄 거면 그만큼 가격을 낮추면 되지 않을까 싶지만, 다국적 회사는 국가 별로 가격 전략이 있기 때문에 그렇게 간단하지는 않다.

　이런 환자들이 가장 두려워하는 것은 한미 fta에 포함된 특허권 문제와 의료 보험의 약제비 결정 과정에 다국적 제약 회사들이 추천하는 위원들이 직접 들어가는 것이다. 글리벡은 스위스 회사이고, 사건이 드라마틱하게 전개되어서 사람들의 시선을 끌 수 있었다. 그러나 매번 이런 요행을 바랄 수는 없고, 환자들이 직접 나서서 의약품 가격 문제를 해결하게 하는 것이, 사회 정의상 그렇게 바람직한 일도 아니다. 게다가 정말로 희귀한 질환인 경우에는 '단결 투쟁'을 하고 싶어도 사회를 움직일 만한 규모가 나올 수 없다. 사람들이 '남의 일'로 간주하면 누군가는 고통받을 수밖에 없는 것 아닌가?

의료와 보건의 한쪽 끝에는, 삼성의료원 같은 곳이 더 많이 생겨서 기다리지 않고 특권적 서비스를 받고 싶어 하는 사람들이 있다. 그들을 상징적으로 1%라고 한다. 또 다른 쪽 끝에는 파국적으로 많은 의료비를 지출해야 하는 가난한 사람들과, 일상적인 의료 보험만으로는 문제를 전혀 해결할 수 없는 희귀 난치성 질환 환자들이 있다. 이 두 개의 힘이 한미 fta의 한가운데에서 충돌했다. 물론 특별히 이들을 위해서 마련된 규정이나 단서 조항은 없다.

가난한 사람들 중에서 의료비 지출이 15~25%에 달하는 사람들은 특히 취약 계층이다. 이들이 한미 fta를 이해하고, 스스로의 권익을 주장해서 협상 과정에 자신들의 이해를 반영시킨다는 것은 거의 불가능한 일이다. 희귀 난치성 환자로 분류되고 나면, 이들이 스스로를 지키기가 어렵다는 것은 명확한 일 아닌가?

'어차피 우리는 수출로 먹고사는 나라'라고 생각하는 분에게, 정말로 우리가 수출만으로 먹고살 수 있는지 묻고 싶다. 그렇다고 답변하는 분에게, 그러면 한미 fta가 우리나라의 수출입 무역수지를 개선하는 요소인지 다시 한 번 묻고 싶다. 두 질문에 똑같이 그렇다!고 답변하는 분에게 마지막으로 묻고 싶다. 우리 사회가 가난하고 아픈 사람들에게 어떻게 해 주는 게 옳은가? 과연 우리가 한미 fta를 통해서 선진국으로 가게 될까? 어쩌면 우리는 이 사회에서 스스로를 지키지 못하는 사람들을 깔아뭉개는 야만으로 가고 있는 것은 아닌가?

새누리당 의원들은 걸핏하면 '세금 폭탄'이라고 말한다. 그러나 의료비를 과다하게 지출하는 사람들은 폭탄 정도가 아니라 카타스트로프를 겪고 있다. 그리고 이 문제는 한미 fta가 발효되고, 시간이 지날수록 더 심각해질 것이다. 사보험에 들면 된다고? 희귀성 질환을 제대로 보장해 주는 사보험도 있는가? 2만 명 이하의 소집단에서 발병하는 문제를 개별적이며 상업적인 보험이 무슨 수로 해결해 주는가?

"사랑이란 미안하단 말을 하지 않는 거야."
(영화 〈러브 스토리〉 중, 백혈병에 걸린 제니가 올리버에게)

인간의 얼굴을 한 자본주의

: 소통을 넘어 공감으로

경제학과 학부 시절의 어느 수업에서 벌어졌던 논쟁이 기억난다. 다윈의 적자생존론에 관한 내용이었는데, 인간이 이기적인지 아닌지 고민할 필요가 없는 게, 어차피 그렇지 않은 사람은 사회에서 생존할 수 없고 결국 멸망한다는 게 요지였다. 그게 80년대 주류 경제학계에서 가르친 내용이었다. 그 이후로 경제학도 많이 바뀌어서, 게임 이론 특히 진화 게임 이론이 더 적극적으로 도입되었고, 소통이나 평판 같은 요소들이 대거 도입되었다. 행위를 선택할 때 공격 일변도의 강성 전략을 매파 전략이라고 하고, 연성 혹은 평화적 해법을 비둘기파 전략이라고 한다. 속으로는 어떻게 생각하든 간에 매번 매의 전략만을 사용하고, 사회 구성원들이 전부 매와 같은 공격 일변도의 전략만을 채택해서는 절대로 사회적 최적에 도달할 수 없다는 것이 어느 정도는 상식이 되었다.

fta를 체결하든 말든 별로 중요하지 않다고 생각한다. 물론 독소 조항이라는 것들이 있고, 미국과의 경우에는 사소한 몇 개의 조항이 누군가에게는 치명적인 결과를 야기할 수도 있다. 게다가 아무리 사람이 지혜롭다고 해도 언제나 세상이 미리 계산하거나 예측한 대로 움직이는 것만은 아니어서, 또 다른 문제가 생길 수도 있다. 프랑스의 사회학자 레몽 아롱(R. Aron)이 얘기한 '사악한 결과(effect perverse)', 즉 시스템이 의도하지 않은 뜻밖의 결과는 얼마든지 생길 수 있는 것이다. 무엇보다 중요한 것은, 일종의 '사회적 의사 결정론'의 문제라는 생각이 들었다. 무엇을 결정할 것인가의 문제가 아니라, 어떻게 결정할 것인가의 문제에 대해서 생각해 볼 단계가 되지 않았는가?

박정희 시절이나 군사 정권 시절이나, 개개인이 생각하는 것 혹은 '시민들의 의사' 같은 것은 사회적 의사 결정에 체계적으로 영향을 미치지 못했다. 대통령이 신문이나 TV를 보다가 결심했다거나, 측근이 조언하면 국정에 반영되는 식으로 움직여 온 나라이다. 경제학에서 흔히 내세우는, '시장이 모든 것을 결정한다'는 것에는 의사 결정 과정이 생략되어 있다. 가격이 모든 요소의 움직임을 결정하고, 장기적으로는 그렇게 가는 게 균형이자 최적이라고 한다. 그런데 한미 fta의 움직임이 그렇게 시장에 의해서 결정된 것인가? 이것은 정치적으로 외삽된 것이며, 시장이 원했다고 볼 만한 증거나 이유도 거의 없다. 그렇다고 실제로 무역 수지가 개선되는 효과가 생기는 것도 아니다.

한미 fta의 논의 과정에는 소통이 생략되었다. 6년에 걸쳐 협상하고, 오랫동안 논의했다고 하지만, 솔직하게 얘기해 보자. 한국에서의 내부적 협상이나 사회적 논의는 생략되었고, 이명박 정부에 들어와서는 순전히 미국에서 국내 논의 절차가 진행되면서 시간이 지나간 것 아닌가? 미국은 정치적으로 오바마의 당선에 중요한 역할을 했던 자동차 노동자들을 위한 명분과 소 축산업자들을 위한 실익이 필요했던 것 아닌가? 그렇게 미국에서 국내 절차를 움직이고 합의에 이르는 동안, 한국에서는 아무 일도 안 했다. 그리고 미국이 전격적으로 의회에서 통과시킨 후에, 한국에서 했던 것은 날치기를 위한 준비 아닌가?

내가 이 과정에서 느낀 것은, 소통을 뛰어넘는 '공감'이라는 요소가 한국 경제에서 어떻게 가능할 것인가 하는 문제였다. 2장에서 살펴본 것처럼, 20대, 소상공인, 농민, 의료 취약 계층은 단기적이든 장기적이든 한미 fta로 인해 피해를 볼 집단들이다. 그리고 대부분의 피해자가 그렇듯이, 스스로를 대변하고 지키는 데 생각보다 어려움이 많다. 그들은 구조적인 피해자인데, 문제는 이들을 버리고 갈 우리의 미래라는 것이 존재하지 않는다는 사실이다.

경제에서 모든 문제는 해법이 있다고 생각한다. 제약 조건이 아무리 어렵더라도 문제가 무엇인지 알면, 중장기적으로는 해소하거나 현저히 완화시킬 수 있다고 생각한다. 한국 경제가 지상 낙원으로 가야 한다고 생각하는 것은 아니다. 유토피아! 그건 존재하지 않기 때문에 그렇게 불리는 것 아니겠는가?

내가 기대하는 것은 '인간의 얼굴을 한 자본주의'의 모습을 한국 경제가 구현되는 것이다. 좋은 국민 경제가 도달해야 하는 목표나 기준이 몇 가지 있을 터인데, 경제 정의 같은 건 한국 경제가 도달하기 어려울 것이다. 한국은 문화를 비롯한 비경제적 요소들은 처음부터 포기하고, 물질적 풍요 하나만을 극단적으로 추구한 경우라고 할 수 있다. 외형적으로는 풍요의 모습을 갖추었지만, 정말로 괜찮은 경제의 기반에 해당하는 것들을 만들어 낼 단계에는 도달하지 못한 것 같다.

좋은 경제가 만들어야 할 덕목이 있다면, 우리는 시스템 내부에서의 소통이라는 것을 조금씩 추구하는 단계에 와 있다고 생각한다. 기능적으로만 생각한다면, 시스템 내부에서 정보를 어떻게 처리할 것인가 하는 게 소통의 기본적인 역할이라고 할 수 있다. 물론 그 과정에서 조정(coordination)이라는 좀 더 복합적인 일들이 벌어지게 된다. 풍요를 추구한다고 해서 경제가 풍요로워진다면, 복잡한 경제학이 무슨 필요가 있겠는가? 자기 계발서만 잔뜩 있고, 미래의 꿈을 적당히 보여 주는 미래학만 있으면 되는 것 아니겠는가? 그러나 세상은 그보다 복잡하다. 노무현 시대에 '참여'

를 정부의 이름으로 내걸었는데, 실제 그 정부가 참여를 경제의 덕목으로 등장시키는 데 성공한 것 같지는 않다. 정권을 만드는 데 국민이 참여했을지는 몰라도, 경제를 이끌어 가는 데 제대로 참여하지는 못한 듯싶다. 이명박 정부는, 자기 스스로 정부의 이름을 '이명박'이라고 붙였던, 아주 이상한 정부이다. 추구하고 싶은 가치가 아예 없는 집단이었을지도 모른다. 정말로, 집권 외에는 관심이 없었을까?

어쨌든 '불통 정권'이라는 별명을 얻은 이명박 정권 내내 소통이라는 단어가 그 어느 때보다도 많이 사용되었다. 의식했든 의식하지 않았든, 결핍된 것을 그 시대가 결국 소망하는 것 아니겠는가? 한미 fta에 대한 논의는 그야말로 존재하지 않는 것처럼 시간이 지나갔고, 마지막 순간에 날치기로 통과되었다. 이 과정에서 가장 결핍되었던 것은 정보도 아니고, 판단 능력도 아니고, 바로 '공감' 능력이 아닌가 한다. 이득의 크기와 피해의 크기를 가름하는 것과는 상관없이, 피해를 보는 사람이 존재할 수 있고, 그들에게 무슨 일이 벌어질 것인지 국민 경제 구성원으로서 같이 느끼는 것을 공감이라고 하자. 그런 점에서는, 자신이 실제로 이익을 가지게 되든, 혹은 이익을 가지게 된다고 착각을 하든, 그렇지 않은 사람들의 어려움을 살피는 면에서 우리는 모두 실패했다. 이건 fta를 체결하고 하지 않고의 문제가 아니며, 정보를 공유했느냐 그렇지 않으냐의 문제와도 다르다.

우리 모두가 신이 될 수도 없고, 신의 경제를 이 땅에 구현하려는 것도 아니다. 그럼에도 '남의 불행은 나의 행복'이라는 생각으로 과연 우리가 선진국이 될 수 있느냐, 혹은 한국 경제가 지금의 불황을 넘어서서 다음 단계로 도약할 수 있느냐의 여부는, 우리의 공감 능력에 달려 있다고 생각한다. 외형적 팽창만으로, 우리는 지금 올 데까지 온 셈이다. 박정희의 개발 독재 모델을 가지고 더는 다음 단계로 넘어가기가 어려운 것 아닌가?

스위스가 모든 면에서 모범이라고 생각하지는 않는다. 그러나 2% 정도의 농민들과 관련된 주제로 국민 투표가 실시되었고, 실제로 통과되었다. 그리고 그 결과에 따라 스위스 정부는 미국 정부와의 fta 협상을 중단하였다. 분명히 우리와는 차이가 있다. 스웨덴은 동일 노동 동일 임금으로 일종의 사회적 타협이 존재한다. 독일에서는 그만큼 전면적이지는 않지만, 지역적으로 동일 노동 동일 임금 방식으로 가고 있다. 자신이 더 잘났다고 생각하는데도 같은 임금을 받으라는 것이 사회적으로 가능할까? 우리로서는 비정규직 문제와 고용의 열악화에 대해서 아무런 사회적 해법을 찾지 못하고, "이게 미래의 대세이니까 당신들이 적응하시라"고 회유하고 있다. 분명히 우리는 다음 단계로 넘어가기 위해서 갖추어야 할 덕목 중 '공감'에서 심각한 문제를 일으키고 있다.

"정부가 피해 대책을 적절하게 세워 줄 것이다"라는, 현실과는 전혀 상관없는 문장 하나를 세워 놓고, 우리의 미래를 고민하는

데, 그리고 우리의 사회 내부를 공감하는 데 눈을 감아 버린 것 아닌가? 하나하나 따져 보면, 청와대와 그 상층부에서 의사 결정이 이루어지게 되어 있는 우리의 문제, 외교부의 폭주를 견제할 수 없던 상황, 미국에 거의 맹목적이다시피 한 동경과 같은 문화적 문제, 이런 것들을 복합적으로 보여 준 게 한미 fta의 국회 날치기 통과 사건이다. 그러나 정말로 이런 과정이 문제를 일으킨 것은, 바로 우리의 공감 능력을 빼앗아 간 것이라고 생각한다.

우리가 열어야 할 미래는, 우리의 공감 능력을 회복하는 데에서 시작할 것이다. 남이야 죽든 말든 수출만 늘면 된다는 이상한 환상과 주문 속에서 우리는 공감의 능력을 잃어버린 것 아닌가? 정말 무서운 괴수는 한미 fta가 아니라, 그걸 바라본 우리 자신이 아닌가? 괴수와, 괴수를 불러들인 괴수와, 그 괴수를 키운 괴수로 구성된 나라에서 어떻게 우리가 다른 사람의 아픔을 공감할 수 있게 되느냐, 이게 경제보다 더 중요한, 그리고 경제 그 자체에 대한 논의이다.

3장

fta 한 스푼, 팩스 한 장

tta 한 스푼

머컨틸리즘의 귀환

우리는 fta, 아니 통상에 대해서 충분히 알고 있는가? 눈을 조금 크게 뜨고 깊이 한번 생각해 보자. 딱 '한 스푼'만큼, 독자 여러분들이 무역 혹은 통상에 대해서 생각해 보시기 바란다.

흔히들 『국부론』의 애덤 스미스를 경제학의 아버지라고 한다. 그래서 이 책이 씌어진 1776년을 나름대로는 경제학이 탄생한 해라고 보기도 한다. 애덤 스미스를 어떻게 해석하든, 그를 좋아하든 싫어하든, 경제학의 형성에서 『국부론』은 중요한 책이다. 그렇다면 애덤 스미스 이전에는 경제학자가 없었고, 경제학이라는 게 전혀 없었는가? 그와 동시대 사람으로 중농학파를 열었던 프랑수아 케네도 있고, 그 이전에 튀르고 같은 중요한 저자도 있다.

그럼에도 애덤 스미스를 그 시원으로 여기는 것은, 그가 그 이전의 저자들에 비해서 매우 중대한 전진을 이루었다고 보는 것 아니겠는가?

애덤 스미스 이전의 경제학자들을 보통 중상주의자(Mercantilist)라고 부르는데, 무역을 통해서 수출을 많이 하고 수입을 적게 하여 군주(Prince)의 부를 늘리는 것이 그 나라가 부강해지는 방법이라고 생각하였다. 애덤 스미스가 등장하면서 만들어 낸 가장 큰 논쟁은, 중상주의자들이 막무가내로 수출을 많이 하고 수입을 적게 하는 것이 실제 그 나라의 부에 기여하지 않는다는 것이다. 『국부론』의 제목이 국가의 부인 이유는, 수출을 통해서 금이나 은을 많이 벌어들이는 방법으로 한 국가가 부유해지는 것이 아니라, 생산을 비롯한 경제의 내부 관계를 보아야 한다는 의미에서가 아닌가! 애덤 스미스 이후 존 스튜어트 밀까지, 일련의 경제학자를 고전학파라고 부르고, 그 이전의 경제학자들은 중상주의학파 혹은 중상주의자라고 부른다. 이런 애덤 스미스 이후의 경제학자들을 찬미한 나머지, 지금의 경제학 원론 체계를 만든 폴 새뮤얼슨 이후의 주류 경제학을 신고전학파 종합, 줄여서 신고전학파라고 부른다. '종합'이라는 말이 붙은 건, 케인스의 시도가 이루어 낸 중요한 진전들을 기존의 경제 이론에 다시 합쳤다는 의미이다.

거칠게 풀어서 말하면, 애덤 스미스가 경제학의 아버지라는 얘기는, 그 이전의 경제학자들이 했던 건 경제학도 아니라는 뜻이다. 국가의 부를 화폐의 총량으로 보고, 생산을 무역을 통해서 화폐를 늘리는 것으로만 보았다는, 살짝 무시하고 경멸하는 시각이 이 표현에 담겨 있다. 좀 더 얘기를 파고들면, 장하준의 '사다리 걷어차기'라는 말을 했던 독일 역사학파인 리스트가 등장한다. 리스트는 보호 무역을 주장했던 사람인데, 독일의 경제 역사 단계와 영국의 경제 역사 단계의 차이를 얘기한 것으로 유명하다. 경제학 이론을 자유 무역과 보호 무역으로만 본다면, 중상주의가 보호 무역, 고전학파가 자유 무역, 그리고 다시 독일 역사학파가 보호 무역을 주장했다고 할 수 있다. 물론 중상주의자들과 역사학파 사이의 이론적 간극이 넓기는 하다.

중상주의 정책이 화려하게 꽃피었던 것은, 아무래도 태양왕으로 불렸던 루이 14세 때의 재상이었던 콜베르 덕분이 아닌가 싶다. 왕국은 최고로 번성하였고, 베르사유 궁전으로 상징되는 강력한 왕권, 그리고 "짐은 곧 국가다(L'Etat c'est moi)"라는 말이 이 시기에 나왔다. 화려하기는 하였지만, 이 시기는 영원하지 못했다. 부르봉 왕조는 결국 프랑스 대혁명으로 종료하게 된다. 스페인이나 포르투갈 등 당시 중상주의 관료들의 조언을 받았던 국가들은 한때 전 세계를 지배했지만, 중남미의 식민지에서 흘러 들어온 은이 통제할 수 없는 인플레이션 현상을 일으켜서 결국은 붕괴했다. 지금도 사람들이 그렇게 칭송하는 산업 혁명은 중상주의 정책을 강하게 추진했던, 마키아벨리식 군주들의 나라에서 일어난 것이 아니라, 유럽에서도 변방 중의 변방이었던 스코틀랜드를 중심으로 진행되었다. 애덤 스미스가 바로 이 지역에서 보고 듣고 생각했던 것이, 바로 우리가 경제학이라고 부르는 그 학문의 출발이다. 무역을 통해서 금과 은을 많이 가져온다고 해서 국가의 부가 늘어나는 게 아니라는 얘기를 체계적으로 풀어 놓은 책이 바로 『국부론』이고. 그러니까 애덤 스미스를 중심으로 생각해 보면, 국가 외부에서 뭔가 가져오는 게 경제의 거의 전부라고 했던 시절에, 그게 아니라 국가 내부에서 뭔가 이루어지는 게 중요하다고 하면서 경제학이 출발한 것이라고 할 수 있다. 후대 경제학자들도 기꺼이 동의했으니까 지금까지 애덤 스미스에게 '경제학의 아버지'라는 호칭을 사용하는 것 아닌가?

지식이 계속해서 축적되고 늘어나는 방향으로 움직이게 된다는 것을 과학사적인 발전이라고 한다면, 철학의 사조는 생각이 돌고 도는 순환형의 모습을 띠고 있다. 경제학의 경우는 과학에 가깝다고들 생각하지만, 실제로는 첨단 지식이라는 것도 경제학에서는 별거 아니라 예전에 있던 게 다시 유행하는 것에 불과한 경우가 많다. 한미 fta라는 논의 구도만을 놓고 보면, 찬성파가 반대파를 장사도 모르고 세계 경제도 모르는 쇄국주의자라는 식으로 몰아붙이는 형상이다. 문득문득 우리는 100여 년 전의 논의 구도로 돌아간다. 한쪽에서는, 그러면 대원군처럼 나라의 문을 걸어잠가서 결국 망하게 하자는 말이냐고 쏘아붙인다. 노무현 시절에 청와대 쪽 사람들과 외교부에서 주로 그랬다. 또 다른 쪽에서는 이완용 등이 외교 조약으로 나라를 팔았던 1905년의 을사늑약을 한미 fta 날치기에 비유한다. 국회 날치기 이후에는 외교와 재무 분야에 일본인 고문관을 두도록 했었다. 나라의 주권을 지킬 것이냐, 경제를 개방할 것이냐의 두 논의가 은유로 점철되었다. 개방 vs 쇄국, 매국과 애국, 이게 한미 fta를 둘러싼 두 개의 눈이었다. 그러나 본래 무역 조치였던 한미 fta를 그런 눈으로 본 적은 별로 없는 듯하다. 넓게 본다면, 극히 일부의 시각을 제외하고, 지금 우리는 대부분의 정치인이 통상파이고, 스페인식 머컨틸리즘이라고 봐도 무방할 정도의 강한 중상주의가 2010년대의 경제 담론을 지배하고 있는 것 아닌가? 경제학사 흐름 내에서 사실상 한국 정치를 지배하고 있는 경제 담론을 본다면, 지금 우리는 16세기에서 17세기 초반에 유럽에서 유행했던 중상주의가 화려하게 복귀했다고 말할 수밖에 없다. 생물학자 헤켈은 "생물의 개체 발생은 그 계통 발생을 반복한다"고 말했다. 사람이 태어날 때에도 단세포에서 해양 동물 단계를 거쳐서 물에서 태어난다. 이렇게 보면, 지금 한국을 뒤덮고 있는 극단적인 중상주의의 미래는, 사실 좀 무서운 생각이 든다.

한발 돌아서서 우리 스스로를 살펴보자. 지금 경제를 얘기하는 정치인이든 경제학자든, 루이 14세 때의 콜베르와 다른 방식으로 얘기하는 사람들이 과연 얼마나 되겠는가? 수출은 늘리고, 수입은 줄이고, 국내 경제는 수출을 늘리기 위한 것만이 목적이고….
그렇게 해서 우리에게 필요한 것은 은이야, 은! 스페인이든 프랑스든 중상주의의 조언을 받았던 경제 시스템은 결국 몰락했다. 자원 외교를 통해서 수출을 위한 값싼 석유를 확보하고, 농림수산식품부가 나서서 해외에서 농사짓겠다고 해외 농지 진출을 중요한 정책 과제로 설정하는 이 나라, 경제사에서 많이 보았던 한 시대를 닮지 않았는가? 겉으로는 고전학파 혹은 신고전학파를 얘기하고, 또 한편에서는 시카고학파를 표방하지만, 역사적인 눈으로 볼 때 그들의 얘기는 최소한 애덤 스미스의 세계와는 별 상관이 없다. 중상주의는 17세기 정치의 눈으로 보면 당연한 결론이었겠지만, 18세기 주류 경제학자들은 그건 오류이고, 그렇게 주장하는 건 경제학도 아니라는 평가를 내렸다.

독자 여러분도 곰곰이 생각해 보시라. 콜베르가 주장했던 그 시대의 얘기와 지금의 fta 담론이 뭐가 다른가? 기기묘묘하게 수 세기 전의 주장, 역사적으로 이미 경제학에서 폐기된 주장들이 지금 한국에서는 경제학 중의 경제학 자리에 올라가 있는 것이다. 쇄국이냐 개방이냐가 문제의 본질이 아니라, 중상주의냐 탈중상주의냐가 이론적 핵심 아닌가? 지나친 국가주의와 국민 경제에 대한 무비판적 신봉, 달러에 대한 화폐 물신론 같은 게 결합되면서 지금 우리는 생산이란 무엇인가, 혁신이란 어디에서 오는가, 수요와 구매력은 무엇인가 등 경제학의 기본에 관한 것들을 완전히 잊고 있는 것 아닌가?

박정희 때에도 중남미의 수입 대체 전략이 아니라 수출 중심 전략을 채택했으니까, 그의 경제개발 5개년계획이 결국 중상주의 아니냐고 생각하는 사람이 있을지도 모른다. 박정희의 생각은 독일 역사학파인 리스트의 생각과 맥을 같이하는 부분이 있고, 지금과 결정적으로 다른 것은 국내 생산 체계 확충에 대한 무게 중심이 있었다. 그리고 그런 이유로, 많은 이견이 있음에도 경제학자 장하준이 박정희의 경제에 대해서 여전히 중요성을 강조하는 것이다. 지금은 생산 기반이나 국내 산업 생태계에 대한 고려는 전혀 없고, 관세만 낮추고 해외 투자의 규제만 풀면 무조건 경제가 잘된다는, 거의 신화에 가까운 극단적 중상주의만 남아 있는 것이다.

애덤 스미스가 지금 한국의 경제학자와 외교관들이 주장하는 이 어처구니없는 중상주의를 보면 뭐라고 할까?

에구에구, 내 새끼. 참 귀엽게 잘하기도 하지!

이럴 리는 없지 않은가?

다음 정권의 통상 정책은 무엇인가

국회에서 한미 fta를 날치기하기 직전에, 대통령은 국회를 방문하여 발효 후 ISD에 대한 재협상을 약속하였다. 그 약속이 지켜지기는 어렵다고 본다. 일단 외교부 등 정부에서 그럴 마음이 없는 듯하고, 미국 역시 그걸 받아 줄 이유가 없다. 캐나다와 멕시코 등 나프타 국가들이 정치적으로 국민들과 재협상을 약속하기는 했지만, 실제로 그렇게 된 사례는 호주의 경우 외에는 아직 없다. 재협상할 것인가 폐기할 것인가, 현재의 야권에서 한미 fta와 관련된 질문은 이렇게 두 가지로 요약된다. 아마 민주통합당 의원 중 절반 이상의 의견은, 일단 재협상한다고 하고 나서 현실적으로 어려우니 그냥 '뭉개고 간다', 이 정도가 아닐까 싶다. 미국이라는 최강의 국가 앞에서 우리가 현실적으로 할 수 있는 게 없다고 할 가능성이 높다. 그런 점에서는, 이미 발효가 되었으니 좀 더 빠른 속도로 복지 쪽으로 이동해서 한미 fta의 부정적 폐해를 최소화하자는 장하준의 경우가 조금 더 솔직하다고 할 수 있다. 그는 최선을 다해서 비준에 반대하였고, 더는 무엇을 할 수 없다는 솔직한 진단하에 다음 길을 모색하고 있는 것이다. 맞고 틀리고를 떠나서, 그는 최소한 일관되고 솔직하다.

미국과의 fta를 어떻게 할 것인가라는 질문에 앞서, 과연 우리의 통상 정책은 무엇인지 묻고 싶다. 수출은 늘리고 수입은 줄인다는 단순한 얘기는 정책 기조라고 보기 어렵다. 중국과 미국에 대해서는 무역 흑자이고, 일본에 대해서는 무역 역조이다. 많이 벌어오는 나라에서는 더 많이 벌고, 덜 벌어오는 나라에서는 더 많이 벌고… 이건 시장이나 국내 경제 구조나 상황에 따라서 움직이는 것이다. 정책적으로 이걸 더 강화시킨다고 하면, 그거야 말로 근본적인 무역 갈등이 생겨나는 일이다. 현실은 그렇게 가지 않는다고 하더라도, '립 서비스' 형태에서는 무역 균형을 갖춘다고 하는 게 무역 정책의 기조 같은 것이다. 한국은 '수출로 먹고 살고' 혹은 '무역으로 먹고산다'는 얘기를 입버릇처럼 한다. 과연 그 말이 맞는지 틀리는지, 혹은 그것이 옳은 것인지 옳지 않은 것인지의 복잡한 논쟁은 잠시 잊자. 수출이 그렇게 중요하고, 무역이 그렇게 한국 경제에서 본질적인 것이라면, 우리는 좀 더 세밀하고 복잡하면서도 미묘한 무역 정책을 세워야 할 것이다. 딱 봐도 그렇지 않은가? 한미 fta 협정문만 해도 부속서와 서한문들까지 포함해서 1,000페이지가 넘는다. 감추고 감추는데도 무수히 터져나오는 번역 오류 같은 건 논외로 하자. 하여간 그렇게 복잡한 걸 처리하는 사람들이라면, 기본 전략에서도 세밀하고 미묘한 게 있지 않겠는가? 당연히 그래야겠지!

사실 한국은 그 전에 어떠한 통상 정책이 있었는지, 뭘 하려고 했었는지, 기억 상실에 걸린 나라처럼 되어 버렸다. DJ 시절, 예전에 실물 경제 부처인 상공부에서 하던 통상 업무를 외교부로 넘겨오면서, 경제 관료에서 외교 관료가 통상을 다루는 나라로 바뀌었다. 이 과정에서 기억의 단절이 한 번 생겼다. 외교관들이 통상을 맡으면서 노무현 정권 초기 조심스럽게 한일 fta와 한-칠레 fta를 밀었다. 그때만 해도 먼 외곽에서부터 조금씩 배워 가면서 점진적으로 접근해야 한다는 생각이 있었다. 그러다가 한일 fta는 검토 단계에서 중지되었다. 김현종이 노 대통령에게 한미 fta를 들이민 것이 대체적으로 이 시점이고, 이 때부터 한국의 통상 정책은 이걸 합리화하는 방향으로 급전환하였다. EU와의 차이점을 지적하면, 그럼 EU와도 하면 될 거 아냐? 일본, 중국과의 통상 관계를 물으면, 기다려 봐, 거기도 곧 할 테니까! 이렇게 해서 생겨난 것이 '동시 다발적 fta 전략' 아닌가? 개별적 국가 혹은 지역과의 통상 정책이나 전략이 따로 있는 게 아니라, 무조건 많이,

다다익선, 이게 우리의 기본 통상 전략이 되었다.

국민적으로 합의한 적도 없고, 종합적으로 검토된 적도 없이, '은근슬쩍'이 우리의 기본 통상 전략이 되어 버렸다. 물론 외교부나 청와대 측의 속마음이야 워낙 뻔하다. 중상주의적 사유 방식을 그대로 전개하게 되면, 당연히 은을 무한대로 공급할 수 있는 식민지가 필요하게 된다. 그런데 어느 나라가 한국같이 적당히 외교하고, 대충대충 국제 문제에 대응하는 '글로벌 호구'의 식민지가 되겠는가? 황우석 사태와 한미 fta의 공통점은 팽창주의적 쇼비니즘이 검증되지 않은 경제적 이익인 '국익' 개념과 딱 결합한 것 아니겠는가? 상대방은 그렇게 생각하지 않고, 관세 구조상 가능하지도 않은 '경제 영토'라는 개념이 국민들에게 fta를 설명하는 데 동원되었다. 스페인이나 포르투갈은 실제로 영토를 늘렸는데, 우리는 속으로만 "저게 우리 영토겠구나" 하며 별로 이성적이지 않은 상상을 한 것 아닌가? 잠시 기분은 좋아질지 모르지만, 그렇다고 해서 정말로 뭐가 개선되는 건 아니다.

이런 과정을 통해서 실제 어떤 이익이 있을지, 어떤 폐해가 있을지, 예기치 않은 변화가 생기지는 않을지 검토도 하지 않고 동시 다발적 fta라는, 기상천외의 통상 전략을 추진하는 국가가 되었다. 그리고 그 과정에서 무역이라는 게 기본적으로는 국내 생산과 유통, 즉 내부 경제의 보완적 요소라는 사실이 망각되었다. 정확히 말하면, 우리가 왜 무역을 하려고 했는지, 왜 fta를 추진하게 되었는지 까맣게 잊고 말았다. 그리고 fta 체결 개수가 정책의 목표가 되어 버렸다. 이 정도면 fta가 신앙이 된 나라라고 해도 무방할 것이다. 이게 노무현 후반기까지 동시 다발적 fta의 현주소가 아니겠는가? 언제라도 국민적 저항에 부딪힐 쇠고기 문제, 북한 원산지 표시 문제 같은 것들이 역설적으로 약간의 제어판 역할을 했다.

지금의 새누리당, 정확히 말하면 이명박 정권은 원래부터 외교에는 별 철학도 없고, 기껏해야 생색내기 이상으로는 생각한 적이 없는 듯싶다. 지금에 와서는 정권의 핵심 비리 사건 중의 하나로 전락해 버린 자원 외교가 대표적이다. 출발은 참여정부에서 방향이 잡혔지만, 과연 이 방향이 맞느냐는 내부 견제가 전혀 없었던 건 아니다. 이걸 이명박 정부에서 그대로 넘겨받아, 그야말로 겉으로는 국민용 생색내기, 실제로는 정권 실세들 치부 사업으로 변질된 것 아닌가? 원래도 이상한 걸 넘겨받아서 진짜 이상한 걸로 만든 게 현 정권의 자원 외교 아닌가?

fta도 마찬가지이다. 한명숙의 '착한 fta, 나쁜 fta'는 말이 안 되는 얘기이기는 하지만, 쇠고기 등 전 정권에서는 최후의 마지노선 정도로 생각한 것들이 아무 의미도 없는 것으로 치부되어 그냥 무너져 내렸다. 그 과정에서 fta의 효과에 대한 진지한 재검토는 전혀 없었다. 그것만이 문제가 아니라 동시 다발적 fta 외에 그 어떤 무역 정책에 대한 고민도 없었다. 그러니 fta가 통상의 시작이고 전부이고, 그 외에 다른 검토는 없다. 그런 사람들에게 fta에 반대하는 사람들이나 시민들의 얘기가, 경제는 아무것도 모르는 자들의 푸념 정도로밖에 더 들리겠는가? 이명박 정부에서 통상 정책이라는 건 fta가 시작이고 끝이다. 이런 연장선에서 추가적인 fta 추진에 걸림돌이 될 것이라고 생각한 것 중의 하나가 쌀이다. 당연히 그렇지 않겠는가? 지금의 일정상 그냥 있어도 되는 건데, 정부 쪽에 붙어서 '쌀 조기 관세화'를 주장한 농업경제학자들은 해도 너무했다. 통상이 아니라 개별 협상 정도로 볼 수 있는 것들이 대부분 이명박 정부에서는 fta와 직간접적으로 연동되면서 움직여 나갔다. 환상적이다.

만약 새누리당의 박근혜가 집권한다면 통상 정책에서 뭔가 근본적인 재검토나 방향의 전환이 있을까? ISD를 국제 표준 약관 정도로 이해했던 박근혜 진영에서, 다른 건 몰라도 통상 부문에서 별도로 자신의 정책을 가지고 있지는 않고, 앞으로도 전격적인 '박근혜식 통상 정책'이 나올 가능성은 없어 보인다. 이한구를 비롯해서 박근혜에게 자문하는 경제학자들이 몇 명 있다. 정치인으로서 이한구에 대한 평가는 복잡할 수 있지만, 경제학자로서의 이한구는 좀 더 단순하다. 이명박 진영의 경제학자들은 케인스주의자도 아니고, 소위 신자유주의자들도 아니고, 오로지 토건 중심으로 해석하면 거의 무리가 없다. 전통적인 마르크시스트, 케인스주의, 신고전학파, 이런 교과서적인 시각으로 이명박 경제를 해석하려면 뒤죽박죽되어 도저히 해석이 불가하다. 4대강 등 토건을 제1변수로 집어넣고, 약간의 감세와 자원 외교를 2차 변수로 넣고, 그러고 나서 임기 중간에 '디폴트'라고 부르는 국가 부도만 나지 않게 관리하는 거다. 이렇게 보면 90% 이상 해석이 가능하다. 이한구의 경우는, 아주 고전적이며 전통적인 신자유주의적 시각, 즉 이명박식 토건으로 상징되는 강화된 재정 정책 같은 것을 뺀 보수주의 경제로 보면 대체적으로 해석이 된다. 물론 이런 시각에서도 냉정하게 앞뒤를 잘 따져 보면 한미 fta에 대해서는 좀 다른 시각을 가질 수도 있다. 그러나 그런 식으로 전략적으로 사유하고, 좀 더 세밀한 통상 정책을 만들어 내기에는, 이한구는 너무 멀리 가 버렸다. 날치기가 잘못되었다고 판단을 뒤로 돌리기는 이제 힘들다. '동시 다발적 fta'를 기계적으로 자신들의 통상 정책으로 받아들일 가능성이 그렇지 않은 경우보다 훨씬 높다.

이명박 쪽이 되었든 박근혜 쪽이 되었든, 실제로 통상에 대한 고유의 시각이 아예 없었거나, 어느 사이에 잊어버렸다. 이제 남은 건, 무조건 fta가 길이다, 동시 다발적 fta! 그러고 나니 다자간 협상인 도하 라운드 같은 건 실패할 것이라고 단순하게 결론을 내린다. 그러면 한국과 중국 등 동북아의 경제와 통상은? 역시 한미 fta는 정당하며 또한 대세라는 것을 증명하기 위해서 한일 fta며 한중 fta며 마구 들이미는 중이다. 우리에게 일본이나 중국은 'fta'라는 '자유 무역' 단 하나로 환원되기에는 너무 큰 인접국들이다. 그들과 적절한 관계를 맺는 것이, fta라는 가치 하나를 지켜 내는 것보다 더 큰 것 아닌가? 좀 미안한 얘기가 될 수도 있지만, 새누리당의 친이, 친박은 노무현이 던졌던 fta에 너무 감격해서, 자기들이 원래 추구하고자 했던 무역 정책이 어떤 것이었는지, 아니 그런 게 있기나 했었는지조차도 잊어버린 상태가 되었다. 박정희 때 추구했던 통상은? 전두환 때의 제3세계 외교는? 노태 우 때의 동구권 개척은? 맞든 틀리든, 그들도 나름대로 분명히 특색 있는 외교 및 통상 노선이 있었고, 경험도 있다. 정치적 측 면에서, 야당에 fta라는 질문을 던지는 것이, 어쩌면 필승 카드일 수는 있다. 그러나 최근 박근혜가 주장하듯이 'fta 말 바꾸기'라는 말이, 그 반대로 자신들은 통상에서 책임감이 있다는 것을 입증 해 주지는 않는다. 만약 노무현이 김현종에게 속지 않았다면, 자 신들은 내세울 만한 통상 정책이 하나도 없는 것 아닌가? 그리고 '동시 다발적 fta'를 일관되게 추진한다는 것이, 자신들이 책임감 있는 통상 정책의 내용을 가지고 있다는 것을 보장해 주지는 않는 다. 극단적으로 얘기한다면, 노무현의 fta를 계승한다는 것을 제 외한다면 새누리당의 통상 정책은 '텅 빈 깡통'과도 같은 것이다. 자기들이 언제부터 fta만을 추진했다고, 그 외에는 아무 정책이 없는 것 아닌가?

현 정부를 장악하고 있는 세력의 통상 정책은 그렇다고 치자. 그렇다면 그 반대편에 있는 세력은 어떨까? 역시 통상 정책으로 들어오면 사정은 크게 다르지 않다. 보나 마나 통상은 아무것도 모르고, 시장 경제 자체를 이해하지 못한다고 치부되는, fta 폐기를 주장하는 사람들의 사정은 다음 절에서 살펴보기로 하자. 일단 통상파라고 부를 수 있는 사람들과 '착한 fta'파, 두 그룹을 상정해 볼 수 있다. 이 두 집단은 사실상 같은 집단이기도 하지만, 조금 무리해서 나누어 보면 약간의 뉘앙스 차이는 있다.

착한 fta파의 경우는 간단하다. 단순히 얘기하면 노무현 시절의 fta는 협상 과정에서 이익의 균형을 맞추었기 때문에 착하다는 거고, 이명박 시절에는 그런 이익의 균형이 깨져서 나쁘다는 것이다. 노무현은 좋고 이명박은 나쁘다는 기본 프레임 위에 fta를 반대하려다 보니, 경제학사 내에 족보 없는 이런 주장이 나오게 된 것이다. 이 말이 맞고 틀리고를 떠나, 착한 fta를 생각하는 사람들에게는 어떤 통상 정책이 있을까? 혹은 이들은 동북아 경제에 대해서 어떠한 구상을 가지고 있을까? 사실 별 구상 없는 것 아닌가? 새누리당과의 차이점이 있나? 착한 fta파는 통상에 대한 자기 시각이 없기 때문에 한중이든 한일이든, 추가적인 fta 논의에서 정부와 새누리당에 질질 끌려다닌다. 한마디로, 별생각 없다. 그러니 단지 통상 조약이며 경제 제도의 하나일 뿐인 fta에 대해서 착하다느니 착하지 않다느니, 이런 말도 안 되는 얘기를 하는 것 아닌가? 실제로 정부에서 보면, 무기력하기 짝이 없는 집단으로 보이지 않겠는가?

민주통합당의 통상파, 이들은 이한구와 비교하면 쉬울 것 같다. 이한구도 4대강은 반대하고, 정부가 환율 시장에 인위적으로 개입해서 수출 위주의 고환율 정책을 유지하는 것에 반대한다. 굳이 통상파와 이한구의 정책적 차이점을 찾는다면, 무상 급식과 대학 등록금 정책에 대한 차이 정도일 것이다. 복지를 어떻게 볼 것인가에서 이한구와 민주통합당 통상파의 차별점이 나오는데, 국제 무역이나 금융 정책같이 일반인들의 관심이 조금만 먼 곳으로 가면, 새누리당과 민통당 통상파 사이에 그렇게 급격하거나 결정적인 차이점이 보이지 않는다. 한미 fta에서 ISD를 재협상할 필요가 있다거나 그럴 필요가 없다거나, 혹은 일단 시행해 보고 문제가 생기면 천천히 고쳐 보자거나, 요런 소소한 차이로 정파 간에 엄청난 차이가 있는 듯이 토론을 벌인다. 그러나 렌즈 앵글을 광각으로 바꾸거나, 카메라를 뒤로 뽑아서 소위 '풀 샷'이라고 하는 전경을 한번 보자. 과연 지금 우리의 논의가 정상적이고, 제대로 문제점을 보고 있는가?

2005년 9월 10일 토요일, 멕시코 프레지던트 인터콘티넨털 스위트룸에서 당시 통상교섭본부장이던 김현종에게 노무현 대통령이 한미 fta 추진을 승인했다. 대통령이 묵던 방에서 통상교섭본부장에게 설득되었든, 속았든, 스스로 판단했든, 그날 한미 fta 추진이 결정되었다. 그 후 7년이 지났는데, 한국의 통상 정책은 멕시코의 인터콘티넨털 스위트룸에서 단 한 걸음도 걸어 나오지 못했다. fta를 아주 강력하게 동시 다발적으로 수행하는 것과, 역시 강력하게 수행하면서 미국과의 fta에서 ISD 하나를 제거하면 된다는 두 가지 의견 외에는 없다. 그리고 그 주변에 약간의 파열음처럼 착한 fta, 나쁜 fta, 통상의 큰 눈으로 보면 별 의미는 없는 입장이 하나 배회하는 상태다. fta 하나를 찬성하고 반대하고, 이건 오히려 작은 일이다. 특정 국가와의 fta, 솔직히 이건 국민 경제 전체로 보면 해도 되고 안 해도 된다. 그러나 모든 국가와의 통상 관계, 모든 지역과의 통상 관계를 fta 하나로 접근하는 건 무모하기 짝이 없는 일이다. fta는 종교도 아니고, 예수도 아니다. 국민 경제를 발전시키기 위해서 통상이라는 것도 필요하고, 통상의 수단 중에 WTO나 DDA 같은 다자 관계, BIT나 fta 같은 양자 관계, IMF 같은 금융 장치들이 존재하는 것이다. 지금 우리는 본말이 전도되어 있다. 가만히 생각해 보면, 한미 fta가 정말 긍정적인지 아닌지 확신하지 못하는 노무현 대통령에게 긍정적인 점에 대해서 설득했던 김현종의 입장에, 한국 정부와 대부분의 정치인이 서 있는 것 아닌가?

대선은 많은 것을 다시 한 번 검토해 보는 사회적 계기이다. 우리는 87년 9차 개정헌법 이후로 정책에 대해서 국민 투표를 해 본 적이 없다. 그렇다고 정부에서 적극적으로 국민들에게 정책 정보를 공개하면서 토론을 하거나, 같이 의사 결정을 하지도 않는다. 그런 상황에서, 대통령을 결정하는 대선은 한국에서 정책이 방향을 틀 수 있는 가장 중요한 계기이다. 게다가 2012년의 대선은 한쪽에서는 빼앗겼던 정권을 다시 찾아와야 한다고, 소위 '반MB'라는 프레임에서 선거를 치르려고 하는 때이다. 어느 대선인들 절실하고 절박하지 않을 때가 있겠느냐마는, 과연 이번 대선이 지나고 나면 어떻게 바뀔지 자못 궁금하다.

한미 fta를 찬성하느냐 반대하느냐, 이건 아주 좁고 작은 문제이다. 더 중요한 것은, 다음 정부에서 통상 정책을 어떻게 할 것인가이다. 우리는 왜 무역을 하는지, 한미 fta가 어떤 맥락에서 국정의 논의 테이블에 올라왔는지, 그런 질문을 모두 잊고 있는 듯하다. 2008년 글로벌 금융 위기 이후, 노무현 대통령 스스로도 이 엄청난 변화 앞에서 과연 지금의 조약이 문제가 없는지 검토해 보아야 한다고 글을 썼다. 물론 그런 일은 벌어지지 않았다. 새누리당이 하는 얘기는 "이전 정권에서부터 추진한 것이다"라는 말밖에 없다. 민주통합당의 통상파는 "우리가 하던 것이다"라는 말만 한다. 그렇지만 지금부터 우리가 어떠한 통상 전략을 사용할 것인지, 지금까지 김현종이 세워 놓은 '동시 다발적 fta'가 여전히 유효한 것인지, 이런 질문을 다시 해 봐야 하는 것 아닌가? 그 답이 뭐라도 좋다. 그러나 생각은 해 봐야 하고, 그에 따른 최소한의 전략 수정이라도 채택해야 한다.

다음 정권의 통상 정책은 무엇인가? 이 질문에 대한 답이 필요한 것 아닌가?

설마, fta 말고는 별다른 정책이 없다고 말할 건 아니지 않은가?

정권 교체를 요구하는 사람들에게 묻고 싶다. 통상이라는 눈으로 볼 때, 도대체 무엇을 위해서 정권을 교체하려는 것인가?

이 현실적이면서도 시급한 질문에 비하면, 한미 fta를 찬성할 것인가 말 것인가, 폐기할 것인가, 재협상만 할 것인가, 아니면 그냥 둘 것인가, 이건 오히려 사소한 질문이다.

노무현 컨센서스의 복귀

: 일본 플러스 알파인가, 일본 마이너스 알파인가

　이념이라는 말을 세상 물정 모르는 정치적 신념에 싸인 사람과 동의어로 생각하던 시절이 있었다. 그러나 경제는 그 자체로 이념이며, 이념이 없이 경제에 대한 인식 자체가 불가능하다. 게다가 경제학만큼 도그마로 가득 찬 학문도 별로 없다. 경제는 눈에 보이는 듯싶지만, 사실 보이지 않는다. 그래서 가격이나 가격을 움직이는 여러 가지 개념과 법칙을 설정하고, 그것들 사이에서 가상의 설명을 만드는 게 경제학이다. 보이지 않는 것을 보이는 것으로 드러내기 위해서 사용되는 수많은 도구는 결국 그 자체로 도그마가 된다. 한국 경제에는 도그마가 몇 가지 있는데, 수출에 대한 신화는 오래된 것이다. 신화는 증명되지 않고, 증명했다고 믿을 뿐이다. 지난 10년을 지배한 가장 큰 도그마는 땅값이었다. 만약 경제학에 유일한 법칙이 하나 있다면, 투기는 영원할 수 없다는 것이다. 설마 그럴 리 있겠나 싶겠지만 실물과 무관하게 쌓아 올린 경제는 결국 무너져 내린다. 일본의 90년대가 그랬고, 금융 파생 상품으로 위험한 투기에 참여했던 미국이 2008년에 그렇게 되었다. 마찬가지로 제어할 수 없는 상태로 부동산 거품을 늘려 나갔던 라틴계 국가들과, 거기에 위험한 투자를 한 프랑스 자본 등 라틴계 국가들 사이에서 유럽발 위기가 커져 가고 있다.

한국 경제를 지탱한 신화는 수출과 땅값, 두 가지가 가장 큰 축이다. 과유불급이라는 말이 있다. 수출도 그렇고, 땅값도 그렇다. 수출이 중요하다는 것은 당연한 말이지만, 이게 신화로 자리 잡으면 국내 경제 없이 외국에 수출만 잘하면 경제가 잘 돌아갈 수 있다는 이상한 믿음을 만들어 낸다. 실물 경제보다 약간 높은 지가 상승 정도라면, 그 자체로 국민 경제에 크게 문제가 된다고 생각하지는 않는다. 모든 실물 경제와 금융 경제가 완벽하게 균형이 잡히고 조화롭게 진행되는 경제는 이상에서만 존재하지 현실에서는 존재하지 않는다. 지표가 실물을 끌어 나가는, 약간의 불균형은 오히려 경제의 역동성을 높일 수 있지만, 지금 한국 경제가 그런 상황이 아니라는 건 청와대만 빼고 우리 모두 어느 정도는 알고 있는 것 아닌가? 인구의 성장은 정체되거나 줄어들 것이라고 전망되고, 물가 상승률을 따라잡지 못하는 명목 소득과 노동 질의 하락으로 인해 실질 소득은 줄어든다. 그 상황에서 금융을 통해서 투기 자금을 공급하는 방식은, 이미 일본이나 미국, 남유럽을 보면서 더는 버틸 수 없다는 걸 알았다. 2007년의 대선은, 이 마지막 꿈을 부여잡고 '토건이여 한 번 더!'에 국민들이 마지막 승부수를 걸었던 순간이다. 747과 대운하에 이 모든 게 걸렸었다. 요행수는 없었다.

2012년 대선은 아마도 토건이 시험대에 올라가는 순간이 될 것이다. 이것은 큰 싸움이다. 작게는 한국 경제의 명운이 걸려 있고, 크게는 동북아 경제가 걸려 있는 싸움이기도 하다. 한국의 상황에서 복지냐 아니냐, 이건 오히려 이념적이지만 토건에 비하면 작은 싸움일 수도 있다. 게다가 '보편적 복지'냐 '생산적 복지'냐 '잔여적 복지'냐라는, 세세한 규정에 대한 논쟁은 오히려 더 작을 수도 있다. 어쨌든 2008년 이후 세계적으로 새로운 상황에 적응하기 위한 흐름들이 강해졌고, 그 속에서 우리는 어떻게 하면 90년대 일본이 걸었던 20년간의 긴 경제 위기의 터널을 거치지 않을 것인가, 거쳐야 한다면 어떻게 조금이라도 충격을 완화시키며 걸어갈 것인가, 그런 고민을 해야 하는 순간이다.

2006년에 처음 fta에 대한 책을 발간한 이후로, 경제 대장정 시리즈라는 책을 통해서 나는 이러한 위기를 줄이고, 내부적으로 극복할 수 있는 방법에 대해서 계속 고민했다. 내 걱정을 간단하게 말하면, 버블 폭발의 에너지의 크기를 알 수는 없지만 터질 것이고, 이명박식으로 사태에 대처해 나가면 10년 혹은 그 이상의 기간 동안 위기를 겪다가, 결국은 중남미 경제의 형태로 전환되는 것이다. 토건족이라는 존재는 일본에서 왔는데, 60~70년대에 자치 운동을 하면서 지방 토호의 영역을 상당히 줄였던 일본과, 그러한 노력이 전혀 없이 지방 토호들이 기초 의회 및 지역 언론을 장악하면서 완벽하게 토호로 작동해 온 한국은 다를 것이라고 생각했다. 그리고 물론, 우리의 경우 그 강도가 더 셀 것이라고 생각했다. 유일하게 한국이 일본에 비해서 가능성이 있다면, 정치의 역동성 정도이다. 일본은 55년 이후 자민당이 계속해서 집권했고, 사회적 내부 구조가 너무 딱딱하다. 그에 비해 한국은 정치적 역동성이 있기 때문에, 조금은 더 근본적인 변화가 가능할 것이라고 생각했다. 그래서 '일본 플러스 알파' 즉 일본보다 혹독하고 길게 '잃어버린 10년'을 보내는 것이 아니라, '일본 마이너스 알파' 즉 일본보다 강도도 완화시키고 기간도 더 짧게 하면서 다음 단계로 넘어가는 게 가능할 것이라고 생각했다. 이게 내가 조금 길게는 YS 이후의 한국 경제, 조금 짧게는 노무현 중·후반 이후의 한국 경제를 보는 눈이다. 때로는 생태와 토건, 가끔은 세대 간의 연령별 문제, 아주 가끔은 젠더라는 눈으로 이 문제를 풀어 보았다. 그러나 지금 와서 고백하면, 본질적인 문제는 딱 하나, 어떻게 하면 일본이 거쳤던 비극을 좀 더 약하게, 좀 더 짧게 거쳐 가느냐였다. 그리고 내가 보는 우리의 미래는 중남미 국가들의 모습, 딱 그것이었다. 미국에 줄을 댄 상층 엘리트들에게는 천국 같은 나라이지만, 우리가 요즘 '나인티 나인', 99%라고 부르는 대부분의 기층 민중은 원주민인 인디오로 자기 정체성을 찾는다. 그리고 정말로 어려운 사람들은 목숨을 걸고 미국 국경을 넘게 되는 멕시코의 현실, 이게 남의 일이라는 보장이 있는가?

2008년 글로벌 금융 위기 이후, 노무현 대통령과 외교부에서는 각각 다른 종류의 입장을 냈다. 재검토해야 한다는 것과, 그럴수록 더욱더 빨리 한미 fta를 발효시켜야 한다는 입장…. 두 번째 얘기는 그냥 하는 말이다. 미국에 대한 무역에서는 무역 역조가 발생하지만, 장기적으로 기술 혁신이 일어나서 나머지 나라에 대한 무역 상승 효과가 발생한다는 얘기, 그 자체로도 의심스럽지만 설령 그런 일이 있더라도 단기 효과는 아니다. 무역 효과는 중장기적으로는 불투명한데, 국내 산업의 기반 붕괴는 상대적으로 단기 효과이다. 이런 게 무슨 글로벌 경제 위기에 대한 대책이 되는가? 진짜로, 외교부의 얘기는 그냥 하는 말일 뿐이다.

지금의 '동시 다발적 fta 전략'은 그것이 맞든 틀리든, 글로벌 금융 위기 이전에 노무현 정부에서 채택한 것이다. 단순히 한미 fta를 찬성할 것이냐 아니냐, 그것보다는 훨씬 큰 논의가 논쟁이다. 한미 fta는, 1차적으로는 무역 수지를 어렵게 만들어서 한국의 국제 수지를 악화시키는 효과가 있다. 2차적으로는 농업과 소상공인 등 지역 경제를 어렵게 만든다. 그럼에도 수출 중심의 대기업에서 효과가 있을 것이라는 게 외교부 주장의 긍정적 메시지이다.

만약 일본에서 외무성이 난리를 쳐서, 지금 한국과 같은 정도의 국내 관세 철폐 같은 게 90년대 혹은 2000년대 초반에 있었다고 해 보자. 일본은 어떻게 되었을까? 일본은 '잃어버린 10년'이 고통스럽기는 했지만, 그 기간 동안에 산업은 경쟁력을 유지해 나갔고, 일본의 엔화도 강했다. 물론 일본 경제가 우리의 모델이 되어야 하고, 그게 최고의 경제라는 얘기를 하고 싶은 건 아니다. 일본도 문제가 많고, 일본이 겪은 문제점들을 피하기 위해서 우리도 노력해야 한다. 그러나 일본보다 더 열악한 조건을 선택해서는, 일본이 겪었던 위기보다 더 크고 근본적이며, 탈출구 없는 곳으로 들어가게 될 것이 뻔하지 않은가?

좀 더 큰 눈으로 본다면, 도하 라운드를 놓고 외교부가 한국 정치인들을 속인 것이다. 어차피 도하로 갈 테니, 그 전에 fta를 통해서 미리 관세 철폐에 대한 연습을 해서 익숙해지자는 게 외교부 논리의 기본이다. 노무현 대통령은 "중국이 요구하는 fta를 언제까지 피할 수 있겠느냐?"고 얘기한 적이 있다. 그 바탕에 깔린 기본은, 언젠가 도하가 체결되고, 결국에는 전 세계가 무관세 지역으로 간다는 얘기이다. 그러다 중간에, 도하는 어렵게 되었고, fta가 대세라고 논리가 살짝 바뀌었다. 기계적으로 생각하면, 도하 때문에 fta를 할 수밖에 없는 상황이 된 것인데, 도하의 체결이 사실상 불가능하게 되었다고 판단한다면, fta 자체도 지금처럼 서둘러서 할 필요가 없는 것 아닌가? 도하가 급하고 fta가 급한 건, 8% 정도의 관세로 보호받는 개도국이 아니라, 거기에 들어가야 하는 선진국이다. 그리고 우리는 WTO에서 개도국의 위치에 있고, 그사이에 충분히 무역의 이득을 취하는 게 당연한 전략이 아닌가? 선진국의 전략을 우리가 취하면서, fta가 원인이 아니라 결과인, 즉 fta 때문에 무엇을 바꾸어야 하는 게 아니라, 무엇인가를 바꾸어서 fta를 하게 되는 기기묘묘한 상황이 우리나라에서 벌어졌다. 한국이 fta에서 최고로 앞선 나라가 되었다는 얘기는 우리가 그만큼 뛰어나다는 게 아니라 '글로벌 호구'라는 반증이 아닌가? 도하 때문에 fta 논의가 시작되었는데, 도하가 중단되어서 속도가 줄었다면, 당연히 fta에 대한 논의도 천천히 움직이는 게 맞다. 그런데 도하가 어려워졌으니 fta를 서둘러야 한다는 게 외교부가 중간에 살짝 바꾼 논리이다. 자국은 관세율이 낮고 상대방은 관세율이 높은 선진국이라면 그런 논리가 성립될 수 있다. 우리는 선진국이 되고 싶은 나라이지 아직은 선진국이 아니다.

이 상황을 기존의 한국 경제의 흐름에 접목시키면 더 기막힌 얘기가 나온다. 일본이 겪은 '잃어버린 10년'과 거의 유사한 구조에 무역상의 핸디캡까지 추가하겠다는 게, 노무현 중·후반에 당시 여당인 열린우리당과 청와대가 내린 결정이다. 의도야 그렇지 않았겠지만, 결과적으로 그들이 내린 결론의 내용은 그렇다. 이 결정은 국회에서 법적으로 처리된 것도 아니고, 다만 당시 여당 인사들과 고위 공직자들이 가졌던 보편적 정서일 뿐이다. 90년대 초·중반, 미국의 워싱턴 정가에서 뉴욕의 월가에 보편적으로 퍼졌던 일련의 생각을 '워싱턴 컨센서스'라고 부른다. 우리가 흔히 신자유주의라고 부르는, 감세와 규제 철폐가 영광과 번영을 불러올 것이라는 생각이다. 이와 비교하면, 한때는 샌드위치론의 형태로, 지금은 '동시 다발적 fta'의 형태로 나타나는 이 일련의 흐름을 '노무현 컨센서스'라고 부를 수 있을 것이다. 물론 이것도 일종의 도그마이다. 증명된 적은 없지만, 정치인과 고위 공직자들 사이에는 의심할 여지 없이 확실한 경제학 이론처럼 받아들여지고 있다.

역사적인 눈으로 본다면, 노무현 컨센서스에서는 국내 생산이라는 게 오로지 금과 은을 늘리기 위한 수출의 도구로서만 존재한다고 생각했던 17~18세기의 중상주의와 거의 다를 바 없다. 결국 몰락하지 않았는가? 우리의 경우는, 거품 붕괴로 인한 일본식 장기 공황, fta로 인한 국제 수지 악화, 농업과 소상공인 등 국내 취약부문 붕괴가 동시에 진행되면서, 매우 빠르게 중남미형 경제로 전락할 가능성이 아주 높다.

어차피 탄력받은 김에 중국, 일본과 지역 경제에 대한 별도의 고려나 안전장치, 호혜성 같은 것을 만들지 않고 그냥 fta 관계로 들어간다면?

중국과의 농업 관계는 단순한 관세율 차원의 문제가 아니다.

특별한 대책 없이 중국에 대한 농업이 개방되면 장기적으로는 수입 자체가 유통 기간 등의 문제로 제약될 수밖에 없는 근교 농업 외에는 한국 농업이 살아남기 어렵다. 일본의 경우 역시 개방을 통해서 이익을 보장받기가 쉽지 않다. 문제는 이렇게 개별 국가와의 손익 계산이 아니다. 상품별, 국가별 혹은 지역별 통상에 대한 원칙이나 전략 없이, 'fta가 대세다'라는 마법 주문 같은 걸 가지고 경제 전략이라고 하는 이 흐름이 얼마나 무분별하고 무책임한 것인가?

이러한 노무현 컨센서스가 비극적인 이유는, 정작 그 흐름의 한가운데에 있던 노무현 대통령이 2008년 글로벌 금융 위기 이후에, 기본 입장에 대한 재검토를 생각했다는 점이다.

"모든 정책은 상황이 변화하면 변화한 상황에서 다시 검토해야 한다는 것입니다. 이렇게 하는 것이 실용주의이고, 국익외교입니다…."

얼마나 비극적인 상황인가? 정작 이 소용돌이를 만든 본인은 방향은 모르지만 재검토가 있어야 한다고 했다. 그러나 현실에서 그런 건 없었다. 노무현이 떠난 다음에 노무현 컨센서스는 오히려 더욱 강고해졌고 더욱 튼튼해졌다. 게다가 2012년 대선을 앞둔 지금, 노무현 컨센서스는 노무현 생존 때보다 더욱 강해졌고, 그 힘이 극성으로 달려가는 중이다. 노무현 생전에는 한미 fta의 위험과 문제점에 대해서 분석하는 사람들이 있었다. 그리고 그 힘이 일정한 세를 형성하며 나름대로 수비를 위한 진을 갖추고 있었다. 지금은 그것도 없다.

2008년 금융 위기를 극복하며 새로운 시민의 경제로 전환점을 찾던 힘이, 한미 fta 발효와 함께 무너져 내린 형상이다. 지금 상황에서, 도대체 무역이 왜 존재하는지, 무엇이 위상인지 묻지 않을 수 없다. 기본적으로 국제 무역은 국내 경제의 보완적 수단이고, 국내 경제를 튼튼하게 하기 위해서 강화될 필요가 있는 것이다. 그러나 지금 우리는 거의 신앙이자 도그마처럼 공고화된 노무현 컨센서스의 흐름 속에서, 가장 기본에 해당하는 것을 잊어버린 것이 아닌가?

노무현 컨센서스는 한미 fta 발효 이후 완벽하게 복귀하였다. 그리고 지금 우리는 일본이 겪은 위기보다 짧거나 완화된 형태, 즉 일본 마이너스 알파로 가는 것이 아니라, 그보다 더 길고 강력하게 위기를 겪는 일본 플러스 알파로 맹렬하게 가고 있다.

운명의 팩스 한 장?

국제간의 조약은 조약법에 관한 협약인 1969년의 비엔나협약에 그 근거를 두고 있다. 여기에는 5부에서 '조약의 부적법·종료 또는 시행중지'에 관한 내용을 다루고 있다. 42조 2항에, 협약의 내용에 의해서 국제 조약을 종료할 수 있다고 되어 있다. 한미 fta의 경우는 24.5조 2항과 3항에 협정 종료에 관한 규정을 두고 있다.

2. 이 협약은 어느 한쪽 당사국이 다른 당사국에게 이 협정의 종료를 서면으로 통보한 날부터 180일 후에 종료된다.

3. 제2항에 따라 당사국이 통보를 한 후 30일 이내에, 어느 한쪽

당사국은 이 협정의 규정 중에서 제2항에서 규정된 날 이후에 종료되어야 할 규정이 있는지 여부에 대하여 협의를 개시할 것을 다른 쪽 당사국에게 서면으로 요청할 수 있다. 협의는 당사국이 자국의 요청을 전달한 후 30일 이내에 개시된다.

얘기는 간단하다. 한국이나 미국 중 어느 한쪽이 "나, 이제 그만 할래"라고 결정하면 6개월 후에 한미 fta는 종료된다. 다만 이 통보가 넘어간 뒤 한 달 내에, 또는 6개월 조금 뒤에 종료해야 할 사안이 있는지 협의하도록 되어 있다. 개정에 대한 규정은 이보다 더 간단하다. 24.2조에서 이걸 규정하고 있다.

양 당사국은 이 협정의 개정에 서면으로 합의할 수 있다. 개정은 양 당사국이 각자 적용가능한 법적 요건 및 절차를 완료하였음을 증명하는 서면통보를 교환한 후 양 당사국이 합의하는 날에 발효한다.

현대 국가 체제에서 종료할 수 없는 조약은 존재하지 않으며, 한미 fta의 경우는 당연히 개정과 종료 모두 그 자체에 조항을 담고 있다. 물론 규정은 그렇지만, 어느 한쪽에 중대한 변화가 생기기 전에 일방적으로 종료시키는 것이 관행은 아니다. 보통은 더 크고 중요한 새로운 조약을 만들면서, 그 안으로 자연스럽게 흡

수시키고 과거의 조약이 폐지되는 방향으로 간다. 새로운 정권이 출범하면 이전 정부가 추진했던 것을 다음 정권에서 인계하지 않는 경우도 종종 있다. 멀리 갈 것도 없이 기후변화협약의 이행 계획에 해당하는 교토 의정서를 클린턴 이후 집권한 부시 행정부에서 성명서 한 장으로 폐기해 버린 적이 있다. 유럽 국가들이 유로를 만들기로 결정한 것은 마스트리히 조약이다. 대부분 레퍼렌덤(referendum)이라고 불리는 국민 투표를 통해서 유로존에 가입하였다. 그럼에도 영원히 탈퇴할 수 없다는 것을 전제로 우리가 유럽 위기에 대한 논의를 진행하고 있는 것 아닌가?

원칙적으로, 한미 fta의 경우도 수많은 개별 조약 특히 양자 조약에 해당하기 때문에, 개정과 종료가 불가능한 것은 아니다. 차이가 있다면, 개정을 위해서는 한국과 미국 두 나라의 동의가 동시에 필요하고, 종료는 어느 한쪽만 결정하면 된다는 점 정도이다. 캐나다와 멕시코 등 많은 나라가 재협상을 내건 적이 몇 번 있지만, 미국 쪽에서 개정에 동의해 주는 경우는 별로 없다. 그게 현실이다. 기술적으로만 분석하면, 종료가 개정보다 훨씬 쉽다.

재협상을 통해서 개정하기 위해서는 상대방인 미국의 동의를 이끌어 내야 한다. 외교부가 하는 얘기는, 재협상을 위해서는 미국에 무엇인가 추가적인 양보를 해야 하는데, 이게 쉽지 않다는 것이다. 사실 쉽지는 않다. 반면, 종료를 위해서는 국내에서 한 번은 의사 결정을 내려야 하는데, 이것도 쉽지는 않다. 법률 체계상 조약에 관한 권한은 대통령이 가지고 있다. 대통령이 마음만 먹으면 절차는 생각보다 간단하지만, 대통령에게 마음먹게 하는 것이 쉽지 않다. 한국의 지배자 혹은 대체 세력은 복지에 대해서는 상당히 동의한 상태이다. 보편적 복지냐, 잔여적 복지냐 하는 복지를 보는 시각의 차이가 있고, 막상 논쟁 과정에서는 엄청나게 차이가 있는 것처럼 입장이 벌어지지만, 복지라는 방향에 대해서는 기본적인 동의가 이루어져 있다. 그러나 국제 관계 혹은 통상에서 우리는 그냥 노무현 컨센서스 안에 있고, 오히려 그 힘이 더 강해지는 것을 보고 있다.

　서정적으로 표현하면, 우리는 '팩스 한 장'으로 한미 fta를 종료시킬 수 있다. 물론 그 전제는 노무현 컨센서스를 극복하고, 최소한 앞으로 한국 통상의 방향이 어떻게 되어야 한다는 데에 어느 정도는 국민적 합의가 생겨나고, 그러고도 그 내용에 대통령이 동의하는 경우이다. 민중의 정부 혹은 시민의 정부가 전격적으로 출범하는 경우 외에는 상상하기 어렵다. 그만큼 한국에서 노무현 컨센서스의 힘은, 국민 경제의 위기와는 상관없이 정치적으로나 사회적으로나 그 절정을 향해서 치닫고 있다. 팩스 한 장이 어려운 건 아니다. 그러나 그건 우리 안에서 헌법으로 결정된 것도 아니고, 법률적으로 결정된 것도 아니다. '동시 다발적 fta 전략'이라는, 애매하면서도 현실에서는 강력한 존재를 둘러싼 특권 계급과의 싸움과도 같은 것이다. 결국 팩스 한 장이 미국으로 갈 수 있다는 것은, 한국 내에 청년, 소상공인, 농민, 난치병 환자나 여성을 대변하는 정부가 들어선다는 것과 같은 말이다. 그리고 이걸 경제 민주화라고 표현할 수 있다. 이는 국내 경제의 연장선에서 무역을 보는 것과 같다. 경제학사로 본다면, 콜베르로 대변되는 중상주의의 시대가 끝나고, 애덤 스미스의 『국부론』을 축으로 하는 고전학파의 시대로 넘어가는 것과 같다. 역사상 영원히 계속된 중상주의자들의 시대는 없었고, 중상주의자들이 득세할 때, 초반에는 뭔가 잘되는 것 같지만 결국 그 나라들의 경제는 망했다. 우리는 다를까? 그건 외교부 생각이고. 다를 리 없다. 자, 어쨌든 우리가 문제를 해결할 수 있는 정부가 들어섰다고 가정해 보자.

이 경우에 ISD만이 문제인가, 한미 fta 자체가 문제인가, 아니면 fta 일반이 문제인가 하는 논리적인 질문에 부딪치게 된다. 나는 fta가 무조건 문제라고 생각하지는 않지만, 좁게는 무역 일반, 넓게는 국내 경제의 모든 전략이 fta로 치환되는 것에 대해서는 반대한다. 현실적으로 미국과 협상한다고 할 때, ISD를 놓고 협상해 보고 그게 여의치 않으면 한미 fta를 폐기한다는 것은, 폐기와 같은 얘기이다. ISD만을 빼 주는 협상이 가능하기는 어렵고, 거의 유일한 가능성은 한국 정부에서 그게 아니라면 한미 fta를 폐기할 것이라는 강력한 의지가 있고, 그것을 미국이 인지할 때만이다. 그럴 경우 미국에 걸려 있는 것은 미국이 주도해서 발효시킨 협상이 깨어진 적이 없다는, 지금까지의 미국 헤게모니가 테이블에 올라가게 된다. 일종의 포커 게임과 같은 형상이 벌어지는데, 이렇게 곤란하게 판이 짜여진 것은 외교부와 새누리당이 국내에서 최소한의 모양내기도 없이 조약을 국회에서 날치기로 통과시키면서 벌어진 일이 아닌가? 게임 전략으로만 본다면, ISD 폐기를 원하든 한미 fta 종료를 결정하든, 한미 fta 종료를 목표로 하는 편이 승산이 높다. 한국 정부로서는, 미국과 게임할 것인가, 한국 국민과 게임할 것인가를 선택해야 한다. 정말로 게임을 한다고 하면, 미국으로부터 양보를 얻어 낼 수도 있고, 그냥 폐기시킬 수도 있다. 그러나 지금까지 한국 정부는 그렇게 외교를 했던 것이 아니라 한국 국민과의 게임 쪽을 선택했다. 재협상하는 척하다가 미국이 받아 주지 않는다면서 재협상을 종료하는 것도 한 방법이다. 물론 이건 진짜 게임 상대가 미국이 아니라 한국 국민인 경우이다.

한국 정부가 한미 fta를 종료시키기로 마음먹었다고 가정해 보자. 그 경우에는 두 가지 위험이 있을 수 있다. 하나는 미국 쪽, 또 하나는 국내. 먼저 미국 쪽의 위험부터 살펴보면, 공식적으로는 아무 일도 벌어지지 않을 것이다. 일단은 한미 fta 종료와 관련된 단서 조항이 없기 때문에, 한쪽 정부의 의사 결정은 그 자체로 무조건적이다. 간혹 미국이 무자비하게 무역 보복을 할 것이라고 주장하는 사람도 있고, 그래서는 앞으로 어떻게 통상 교섭을 할 수 있겠느냐고 주장하는 사람도 있다. 두 가지 종류의 위험을 얘기하는 건데, 이건 사실 도상으로만 있는 위협이지 현실에서는 일어날 가능성이 거의 없다. 한미 fta가 발효된 직후, 한국산 냉장고에 대한 덤핑 판정이 문제가 되었다. 이후 한국 기업은 냉장고 미국 판매가를 올리기로 했고, 미국 무역위원회는 덤핑 피해가 없다고 판정하여 반덤핑 관세를 부과하지는 않았다. 이 일로 도대체 한미 fta 이후 이럴 수 있느냐고 의아해하는 사람이 많았다. 당연한 것이, fta는 기본적으로 관세에 대한 제도이고, 여기에 부가적으로 투자에 대한 협정을 더해 놓은 것이다. WTO의 일반 규정이나 그 나라의 고유한 시장 정책 규정과 충돌하지 않는 이상, 바뀌는 것은 없다. 정확히 얘기하면, fta는 WTO 내 특정 회원국 사이의 관세 동맹에 불과하다. 한국이 미국과의 fta를 종료한다고 하더라도, 두 나라는 WTO의 회원국이고, 이러한 다자간 체제에서 의무와 권리 사이에는 아무런 변화가 없기 때문에, 직접적이든 간접적이든 종료를 이유로 무역 보복을 할 수는 없다. 사실 우리한테는 이게 그렇게 중요한 일로 설정되어 있지만 한국이 미국과 fta 관계를 계속하느냐 마느냐에 신경 쓸 나라도 별로 없다. 있다면 일본 정도가 이 문제를 주의 깊게 볼 것이다. 그럼 앞으로 미국 이외의 나라와는 통상 관계를 우호적으로 유지하기가 어렵다는 주장은? 그것도 그냥 하는 말이다. 국제 외교에서 신뢰 관계, 동반자적 관계 혹은 동맹은 대부분 말뿐이고, 실익이 있으면 하는 거고, 그렇지 않으면 시큰둥해지는 것이다. 스위스는 미국과의 fta 협상을 한창 진행하다가 직접적이지도 않은 국민 투표를 이유로 협상을 중단했다. 국제간의 신뢰를 강조하는 사람들 눈으로 해석해 보자. 미국의 입장에서 보면, 스위스 공무원들은 직접 연관도 없는 국민 투표를 핑계로 fta 협상을 깨 버렸다. 이것도 신뢰라는 눈으로 보면, 발효된 것을 깬 것은 아니지만 섭섭하기 그지없을 일이다. 그러나 길게 보면 아무 일도 아니다. 그 일로 스위스가 통상에서 문제가 생겼다거나 주권이 흔들렸다거나 국제 관계에서 그들이 가지고 있던 고유한 권한에 위기가 생겼다거나 하는 일은 없다. 미국의 USTR 관료들과 한국의 외교부는 어차피 직업 공무원들이다. 정부가 결정하는 대로 움직이는 집단이므로, 사감을 가지고 일부러 안 좋은 사이를 유지할 필요는 없다. 단기적으로 백악관과 청와대가 경직될 가능성을 배제하지는 못하는데, 어차피 정권이 바뀌었다는 건 그 정도의 변화를 서로가 받아들일 만한 큰 변화이다. 게다가 새 정권의 눈으로 본다면, 한미 fta는 이전 정권이 날치기로 통과시킨 사안이다. 국민적 판단이 바뀌었고, 새로운 정권이 들어섰을 때, 통상 조약 하나를 종료시키는 것은 대단한 일도 아니다. 음모설에 의해서 이전 정권과 이면 계약이 있었고, 그게 한미 fta 내용과 통과에 중요한 축을 구성한다면? 그것도 이전 정권의 일일 뿐이다.

나프타의 경우는 북미 지역 전체의 다자 협상이다. 그렇지만 한미 fta는 관세 동맹 중에서도 양자 협상일 뿐이다. 여전히 우리는 WTO의 틀 내에 들어가 있고, fta로 생겨난 특수한 관계들이 해소되고, 일반적인 WTO 회원국으로서 한국과 미국의 관계가 재정립되는 것이다. 게다가 대선 이후 짧은 시간 혹은 다음 정권 내에 이러한 일이 벌어진다면, 특별한 일은 생기지 않을 것이다. 일이 생긴다면 오히려 그게 더 이상한 일이다.

진짜 문제는, 해외에서 벌어지거나 통상에서 벌어지는 게 아니라, 오히려 국내에서 벌어질 가능성이 높다. 지금의 노무현 컨센서스를 구성하는 사람들은 국회에서만 봐도 벌써 새누리당은 절반이 된다. 그리고 반대편 내에도 최소한 통상이라는 눈으로 보면, 노무현 컨센서스라고 부를 수 있는 사람들이 또한 절반이다. 한미 fta 피해자들과 정치 대변 사이에 상당한 차이가 있는 것이 현실이다. 대통령이 통상에 관한 자신의 권한을 사용하여 미국에 "한미 fta를 그만 하기로 하겠습니다"라는 팩스를 보내면, 이제 국회 탄핵을 걱정해야 할 상황이다. 노무현 탄핵과 같은 일이 벌어질 개연성이 아주 높다.

이런 문제를 부드럽게 풀 수 있는 방법은? 옵션은 그렇게 많지 않다. 결국 '동시 다발적 fta'를 계속해서 추진할 것인가 말 것인가 하는 통상의 기본 방향이 한번은 국민 투표급 수준에서 결정될 필요가 있다. 대선에서 대선과 동시에 동시 다발적 fta를 계속 추진할 것인가 말 것인가, 이런 게 국민 투표에 올라가면 가장 편하고 바람직하다. 보통은 정책이 여야로 나뉘면서 한쪽은 찬성, 한쪽은 반대이기 때문에 대선 자체가 그런 판단을 가름한다. 그게 바로 공약이고, 대통령을 선택한다는 것은 그가 내세운 공약을 선택한다는 것과 같은 의미이다. 그러나 통상은 특수해서, 그렇게 간단하게 결정되기가 어렵게 되었다. 만약 노무현 컨센서스라고 부른다면, 여당과 야당이 포괄적으로 같은 입장이라고 할 수 있다. 피해자들은 과소 대표되어 있고, 통상파의 정치 권력은 과잉이다.

어차피 치러야 할 대선에서 선거 하나를 더 얹는 것은, 일단은 비용 효과적으로 가장 부드러운 방법이다. 보궐과 같은 선거들은 총선이나 대선에서 추가적으로 실시한다. 현행 헌법에 규정된 국민 투표가 다른 선거에 비해서 격이 떨어지거나 덜 중요한 것은 아니다. fta에 대한 우리의 장기적 전략이 국민 투표에서 결정되면, 그 후의 일들은 좀 더 논리적으로 도출하기가 쉽다. 한미 fta를 어떻게 할 것인가, 그런 것들은 통상이라는 큰 눈에서 보면 오히려 작은 일이다. 날치기로 통과한 조약은, 지금도 그렇지만 앞으로도 도덕적 정당성을 가지기는 어렵다. 여기에 국민적 판단을 한 번 더 얹는 행정이 그렇게 무리하거나 불가능한 것은 아니다.

미국에 한미 fta 종료를 알리는 팩스를 보낼 것인가 말 것인가, 그걸 직설적으로 국민 투표에 올리는 것은 너무 노골적이다. 그러나 '동시 다발적 fta'를 지금과 같이 계속해서 추진할 것인가 말 것인가, 이런 것은 국민들이 참여해서 결정할 필요가 있다. 추진 측이든, 반대 측이든, 유보 측이든, 한 번도 제대로 된 결정을 한 적이 없다는 부담과 불만이 있다. 그걸 더 늦기 전에 해소하는 것이 좋다.

한미 fta 폐기를 바라는 나 같은 사람이 지금은 많이 줄어들어서 아마 30% 정도가 될 것이라고 생각한다. 2012년 대선에서 우리에게 선택지가 그렇게 많지는 않다. 나는 '동시 다발적 fta 전략'을 폐기하는 후보를 지지할 것이다. 이게 내가 할 수 있는 최대한의 양보이다. 필요하면 각 국가별로 fta 논의를 계속할 수도 있지만, 지금과 같은 무조건적인 다다익선의 전략은 아니다. 한미 fta는 그런 틀 내에서, '1년 내에 재평가'를 해서 폐기할 것인지 유지할 것인지, 그 결정을 대선 이후 1년 후로 유보하는 것에 대해서 양보할 수 있다. 어쨌든 찬성과 반대가 공존하는 상황이기 때문에, 우리의 운명을 오랜 연구와 토론 속에서 같이 결정하자는 것에는 동의한다. 그러나 재협상, 재재협상, 이런 말장난에는 동의하지 않을 생각이다. 지난 총선 때 한명숙이 내걸었던 '재협상 후 불가능하면 폐기'는, 어감은 부드럽지만 현실에서는 불가능해 보인다. 오히려 '폐기 후 재협상'을 거는 편이 협상 전략으로서는 훨씬 유리하다. 현실적으로는 그 경우에만 형식이 아니라 진짜 재협상이라도 시작할 수 있다. 어쨌든 우리가 쓸 수 있는 카드는, 어떤 의미로든 폐기 외에는 없다. 그것만이 독자적으로 결정할 수 있는 선택이기 때문이다. 만약 야권 통합 후보에서 이 정도의 양보를 받는 후보가 없다면? 극한적인 경우라면, 국가의 장기적 미래를 생각해서, 다른 방식의 통상 논의라도 유지할 수 있게, 독자 후보에게 투표하는 수밖에 없지 않겠는가? '노무현 컨센서스' 의 전면적 복귀는, 지금만이 아니라 우리의 미래도 막아 버리는 길이다. 새틸 같은 훗날의 가능성을 도모하기 위해서 독자 후보에게 투표하는 일을, 지금으로서는 배제하기 어렵다.

통상 거버넌스

    통상은 17세기에도 중요했고, 지금도 중요하고, 앞으로도 중요할 것이다. 여기에 대해서는 큰 이견이 없다. 로마 시절이나 중국 천자 시절에도 통상은 존재했고, 심지어 미래에 극단적인 자급자족 경제 체제가 등장한다고 하더라도 통상은 여전히 존재할 것이다. 사회주의나 공산주의에서도 통상은 존재했다. 그렇지만 한미 fta 때 본 것처럼, 통상관들이 국정을 쥐락펴락하고, 국가의 미래를 자기들 마음대로 결정하는 일은 벌어지지 않았다. 한국 경제의 나아갈 방향을 통상관들이 결정하고, 국회에는 보고도 하지 않고 청와대 일부 관료와 결탁하면서 대통령을 기만하는 일은 거의 벌어지지 않는다. 동시 다발적 fta 전략과는 별도로 통상 거버넌스가 현 상태로 좋은가 하는 질문을 한번쯤 해야 할 듯싶다.

외교부가 대통령을 끼고돌면서 국회를 기만하는 것은 심각한 일이다. 이건 누가 집권해도 마찬가지이다. 가장 심각한 것은, 국내 경제의 연장선에서 보완적으로 진행되어야 할 통상이 오히려 국내 경제의 방향을 결정하고, 이 산업은 구조 조정하고, 저 산업은 이제 사양 산업이라고 결정하는 것이 정상적인 상황은 아니다. 이 정도로 황당한 나라는 우리나라밖에 없다. 여기에는 기원이 있다.

DJ가 대통령에 취임한 것은 1998년 2월 25일이다. 그리고 28일 대통령령 제15710호에 의해서 외교부를 외교통상부로 격상시키면서 통상교섭본부를 신설하였다. 내용 자체는 단순하다. IMF 이후 새로 출범한 국민의 정부에서 오랫동안 상공부에서 하던 통상 권한을 외교부로 넘긴 것이다. 지금 와서 다시 생각해 보면, 민주 정부가 수립되면서 최고로 덕을 본 집단은 노동자도 아니고, 농민도 아니고, 바로 외교부였던 것 같다. 외교부에 대한 DJ의 개인적 보은 차원에서 진행된 일로 알고 있다. 어쨌든 IMF 경제 위기를 극복해야 하며 동시에 민주화를 이루겠다는 정부에서 했던 거의 첫 번째 조치가 외교부 산하에 통상교섭본부를 만들고, 본부장을 장관급으로 격상시킨 것은 뜬금없고 생뚱맞았다. 사실 이 정도면 외교부에서 DJ를 은인으로 알고, 그를 승계한 민주당에서는 각별하게 생각해야 할 듯싶지만, 별로 그래 보이지 않는다. 노무현 때의 통상교섭본부장은 삼성으로 갔고, 그다음 본부장은 새누리당으로 갔다. 지금에 와서 보면 DJ가 대체 왜 멀쩡하게 잘 돌아가던 기존의 통상 체계를 외교부에 넘겨주었는지 이해가 안 되는 측면이 있다.

긴 안목으로 보자. DJ 때는 상공부에서 갑자기 인력들을 받고 얼떨결에 통상교섭본부를 꾸리면서 뭘 해야 할지 잘 몰랐다. 그리고 5년이 지나서 노무현 때 김현종이 새로운 수장으로 오게 된다. 이때부터 본격적인 통상 독재가 시작되었다고 할 수 있다. 통상 시대가 온 게 아니라 통상교섭본부 시대가 왔다는 게 정확한 표현일지도 모르겠다. '통상=fta', 이렇게 기묘한 종교가 하나 생겨났다. 정권이 바뀌어 이명박 시대가 되면서 이제 누구도 제어하기 힘든, 경제 부처 중의 경제 부처가 되어 버렸다. 브라보!

생긴 뒤 5년간은 눈치도 조금 보고 잠잠하게 있다가, 그다음 5년에는 민주 정권을 말아먹는 일을 하고, 그다음 5년에는 드디어 삼성 사장과 국회의원을 배출하게 되었다. 이게 DJ 이후 간추린 통상교섭본부의 역사 아닌가? 그다음 5년은? 이제 완벽하게 한국을 쥐고 흔들려는 순간이다.

전편에서도 외교부의 폭주에 대해서 지적한 적이 있는데, 이 책의 결론 부분에서 그 점을 명확히 하고 싶다. 선의로 생각해 보면, DJ는 통상을 누가 해도 상관없다고 생각하지 않았나 싶다. 그리고 IMF 경제 위기를 불러일으킨 경제 부처 중 하나인 상공부에 대해서도 벌을 줄 필요가 있다고 생각한 것 같고. 어쨌든 외교부로 통상 업무가 넘어가면서 생겨난 부작용으로 인해 국내 경제의 운용과 통상이 전혀 상관없는 일이 되어 버렸다. 사소한 이 차이점이 통상 독재가 발생하게 된 원인이다. 국내 산업을 담당하는 곳에서 통상을 맡으면, 조약 체결 숫자를 늘려서 자신의 성과로 삼는 일이 줄어들게 된다. 상공부 시절에 통상을 잘했다고 보기는 어렵지만, 어쨌든 자신의 업무 영역인 국내 산업을 희생시키면서 무조건적으로 통상 결과만을 추진하게 되지는 않는다. 국내 업무를 추진하면서 통상 업무도 추진하는 것에 부담이 있을 수는 있지만, 구조적으로는 균형을 잡을 수밖에 없게 된다. 공격과 함께 수비도 생각해야 하는 경우이다.

한국에서는 통상 업무를 전적으로 외교부로 넘기게 되면서, 수비가 전혀 없는 공격 전술만을 사용하게 된다. 물론 외교부에서 입으로는 자신들이 국내 산업이나 국내 경제를 생각했다고 하지만, 농업을 한번 보라. 목소리 큰 공공 부문의 간부 자리까지 빽빽하게 지켜 주면서, 정작 농민 특히 실경작자에 대한 보호 장치는 미흡하기 짝이 없다. 그건 외교부가 나빠서가 아니라, 현재 통상 거버넌스 자체가 폭주할 수밖에 없는 구조를 가지고 있어서 그렇다. 여기에 fta 체결 숫자를 자신의 성과로 평가하게 되는, 임기 없는 장관급 통상교섭본부장의 입장을 생각해 보면 상황은 더 명백하다. 국민 경제의 전체적 균형이나 개별 산업의 생존이 눈에 들어오겠는가? 전임자보다 더 많이, 전임자보다 더 빨리! 통상 폭주가 가속화되어 '통상 독재'라는 볼멘소리가 나올 수밖에 없는 구조이다.

그렇다면 다른 나라에서는 이 문제를 어떻게 해결하는가? 이원적 집정부제인 프랑스에서는 장관이 곧 정치인이며, 총리와 당내에서 직접 파트너 관계이다. 물론 경우에 따라서 장관을 외부에서 영입하는 경우가 없지는 않지만, 한국의 경우처럼 집권당과 크게 상관없이 청와대 눈치만 보면서 독주하는 현상 자체가 벌어지기 어렵다. 정당 자체가 일종의 견제 역할을 하는 경우이다. 일본은 한국의 기재부에 해당하는 통산성을 해체한 후, 산업 업무에 경제 업무를 붙인 경제산업성에서 통상 업무를 주관한다. 통상정책국과 무역경제협력국에서 이런 일들을 처리한다. DJ 이전의 한국 시스템이 약간 변형된 것이라고 생각하면 된다. 미국은 통상 권한을 아예 의회가 가지고 있고, USTR은 대통령 직속으로 구성되어 있다. 이 같은 흐름에서 의회가 상당한 견제의 역할을 한다. 한국처럼 통상교섭본부가 국회의원들에게도 내용을 감추는 일은 상상하기 어렵다. 열린우리당 시절, 천정배 의원의 보좌관이 협상 내용을 복사해서 돌렸던 일로 실형을 살았다. 법적으로 문제가 되기는 했는데, 야당도 아니고 여당 의원이 내용을 제대로 검토하기도 힘들었다는 사실이 상상을 초월한다.

물론 오랜 전통을 가지고, 통상교섭본부의 폭주와 같은 현상이 벌어지지 않도록 실물 경제와 조화를 이루고, 의회의 견제도 적절하게 이루어지는 일이 전혀 불가능한 것은 아니다. 하긴 구조가 중요하겠는가? 사람이 잘 운용하면, 구조가 어떻든 잘 돌아갈 수 있다. 어쩌면 사람이 구조보다 더 중요할 수도 있다. 이순신이 맹활약할 때, 무슨 엄청난 구조가 그를 뒷받침했겠는가? 통상교섭본부의 상급 기관이 외교부인데, 지금까지 외교부는 제어 역할을 제대로 하지 못했다. 물론 오랜 시간이 흐르고, 지금 추진하는 fta 정책의 문제점이 현실로 드러나고, 그 과정에서 사회적으로나 외교부 자체적으로나 어느 정도 균형을 찾게 될 순간이 올 수도 있다. 그러나 그때까지 한국 경제가 제대로 버티고나 있을지 확신하기 어렵다. 외교부 제대로 자리 잡자고, 한국 경제 자체가 일종의 모르모트처럼 통상 실험만 하고 있을 수는 없지 않은가? 다음 정권에서 시급히 해야 할 일 중의 하나가 이미 스스로도 주체할 수 없는 권력이 되어 버린 통상교섭본부에 적절한 자리를 찾아주는 일이라고 생각한다. 민주화와 함께 민주당 정권이 외교부에 그런 권능을 주었는데, 그동안 외교부가 한국의 민주주의에 무슨 기여를 했는지 도저히 모르겠다. 세 가지 가능성이 있다.

첫째는, 원래대로 지식경제부로 돌아가는 방법이다.

가장 무난한 방식이다. 장점은, 국내 경제와 국제 통상이 유기적으로 연결되어 공격과 수비가 원활할 수 있다는 점이다. 단점은, 지금의 지식경제부 역시 소위 노무현 컨센서스의 한 축을 형성한다는 점이다. 원칙적으로는 국내 산업 보호의 시각이 통상에 강하게 반영되기는 할 텐데, 결국 그 사람이 그 사람이라서 생각한 효과가 나오지 않을 가능성도 있다. 게다가 지식경제부 역시 계속해서 덩치를 불려 온 곳이라서, 과학과 연구 개발 등 다른 기능을 떼어 내는 구조 개편과 동시에 진행되지 않으면, 지나치게 덩치 큰 괴물을 새로이 만들어 낼 위험성을 배제할 수 없다.

둘째는, 미국처럼 청와대 직속으로 놓는 방법이다.

이 방식에는 이해영 교수 등 지지자들이 많다. 외교부의 폭주를 견제할 수 있다는 장점이 있고, 지금의 관료 독점보다는 정치 절차로 견제할 수 있다는 것도 좋은 점이다. 문제는 청와대가 언제나 균형을 이루고 있는 곳인가에 대한 회의이다. 대통령의 지시로 무리한 일들이 벌어질 수 있다. 그리고 상부의 의사 결정자들이 중요한 게 아니라 실제로 문제를 분석하는 실무자들이 더 중요한 경우가 많은데, 대통령의 교체에도 불구하고 실무자들이 소신껏 일할 수 있는 여건을 확보할 수 있느냐가 여전히 관건이다.

셋째는, 국회에 통상 기능을 부여하는 방법이다.

정부의 외교 독주가 워낙 문제가 된 나라이기 때문에 이 방법에 동의하는 사람들이 생각보다 많다. 국민을 포괄적으로 대변하고, 통상만이 아니라 경제 사회의 제반 문제를 같이 검토하기에 국회가 나쁜 기관은 아니다. 국회에도 사무국 산하에 적절한 기구를 만들면 이러한 일을 처리할 수는 있다. 그러나 헌법상 통상권은 대통령에게 있고, 통상의 실무 협상은 국회가 진행할 때의 불균형을 어떻게 잘 처리하느냐가 관건이다.

복잡하게 통상 거버넌스라고 얘기했지만, 간단하게 말하면 외교부가 가지고 있는 통상 권한을 지금처럼 두는 것이 과연 좋은가 하는 질문이다. 이미 문제가 생긴 상황이니, 일단은 떼어 내는 것이 옳다고 생각한다. 같은 행정 부처 중의 하나인 지경부로 가는 방안, 청와대나 국회로 가는 방안이 있을 수 있는데, 어느 경우라도 지금보다는 나아질 것이다. 나는 통상 업무가 원래대로 실물 경제를 담당하는 곳으로 가는 게 장기적으로는 최적이라고 생각한다. 산업과 경제 분야가 피해를 볼 때, 이런 변화가 그 기관의 평가와 직결되어야 비로소 수비도 생각하게 된다. 그러지 않고 fta 등 통상 조약의 체결 숫자만이 평가 기준이 되면, 누구든 수비는 생각하지 않고 공격 일변도로, 지금과 같은 통상 폭주 혹은 통상 독재가 벌어지게 된다.

외교관이 영웅적인 협상을 하고 국민적 영웅이 되는 것을 반대하지는 않는다. 그러나 국내에 수많은 피해자를 내면서 실제 효과도 명확하지 않잖은가? 미국과의 경우는 자신들의 연구에서도 긍정적 무역 효과가 발생하지 않았다. 지금과 같은 방식으로 영웅이 되는 것은 아니라고 생각한다. 그들의 생색은 잠깐이지만, 국민들의 고통은 오래간다. 게다가 지금과 같은 통상 독재 상황에서라면 국민 경제 자체의 미래도 몹시 어둡다.

마지막으로 실무진에게 주문을 하나 하고 싶다. 우리에게 지금까지 수출이 중요했고, 앞으로도 통상이 중요하다는 사실을 부정하지는 않는다. 지금 우리의 문제 가운데 하나는, 그럼에도 무역 효과, 실물 경제에서의 관계, 사회적 파급 효과 등을 분석할 수 있는 분석관 자체가 턱없이 부족하다는 점이다.

수년 동안 좋든 싫든, fta와 관련된 논쟁의 한가운데에서 찬성 쪽과 반대 쪽, 무관심한 쪽을 두루 접할 기회가 있었다. 겉으로는 전문가도 많고, 여기저기서 분석을 많이 하는 것 같지만, 제대로 된 분석을 하는 곳은 거의 없다. 두 가지가 문제이다. 일단은 분석 능력 자체가 절대적으로 떨어진다. 무엇보다도 연구자 숫자가 턱없이 부족하다. 물론 외형적으로는 여기에도 있고 저기에도 있다고 얘기할 테지만. 솔직히 우리한테 전문 통상 분석 능력이 거의 없고, 기계적으로 CGE 운용하기도 숨이 벅차지 않은가.

또 한 가지 문제는, 특정 통상이 우리에게 도움이 되는지 안 되는지, 연구 차원에서 장기적으로 먼저 검토하고 나서 협상에 임해야 하는데, 우리는 전혀 그렇지 못하다. 실무자와 연구자들의 의견이 결국 최고위층의 결정을 만들어 내는 방식이 되는 게 장기적으로는 위험을 줄인다. 그런데 우리는 그러지 못했다. 김현종의 경우는 외교부 실무자들의 반대에도 장관이 대통령과 직거래하면서 정치적으로 결정해 버린 경우이다. 이명박의 경우는, 어차피 그에게 직언하는 사람도 없고, 실무진도 얘기해 봐야 반영

될 것도 아니니, 윗니 아랫니 할 것 없이 청와대 주변에서 다 결정해 버린 것이고. 상황이 이러다 보니 연구진에게 소신이나 신념을 가지고 제대로 검토할 기회 자체가 아예 주어지지 않았다. 상부의 방침과 다른 의견을 낼 때에는 자기 목을 걸어야 하는 상황이 fta 논의에서 정부 연구소든, 대학 연구소든, 기업 연구소든 간에 횡행했다.

위에서 떨어지는 '오더'에 맞추기 위하여, 기초적이며 기본적인 판단을 해야 할 연구진이 자료나 논리를 끼워 맞추는 나라는 망한다. 게다가 그게 통상 조약처럼 모든 국민의 경제적 운명이 걸려 있는 것이라면 더더군다나 말이다. 이미 진행된 한미 fta 등 무역 조약이나 협약에서도 이런 문제가 나타났지만, 지금이라도 이런 문제점들을 시정해야 한다. 그렇지 않으면 말로는 무역으로 먹고 사는 나라라고 하면서도 결국 무역으로 망하게 되는 일이 벌어지고 말 것이다.

이 문제를 풀기 위해서는 통상 기구 내부에 자체적으로 분석관을 두는 게 제일 빠른 해결책이다. 국가별로, 품목별로 계속해서 자료를 검토하고 종합적으로 상황을 판단하기 위해서는 통상 기구 내부에 자체적으로 분석관들이 상주하는 편이 낫다. 물론 그래도 장관 등 고위직이 직접 강력한 '오더'를 내리는 경우에는 어쩔 수 없지만, 지금처럼 공무원이든 연구원이든 아무도 책임지지 않고 논리를 끼워 맞추는 것보다는 상황이 훨씬 개선될 것이다.

이 문제를 풀기 위해서 공무원들의 순환 보직 체계 자체를 바꾸는 것은 정부 체계상 쉽지 않다. 지금 가능한 것은, 통상 부처만이라도 분석관 제도를 도입하여, 통상 관련 분석과 파악 능력을 시급히 높이는 것이다. 기상청에서 일기 예측의 정확도를 높이기 위해서 도입하는 슈퍼 컴퓨터가 500억 원이 넘는다. 그렇다고 해서 분석관들의 인건비가 덜 드는 것도 아니고, 예측 수준이 엄청나게 높아지는 것도 아니다. 그렇지만 필요해서 도입하는 것 아닌가? 통상을 위한 기초 분석을 위해서, 정부 차원에서 통상 분석관의 이 정도 인건비를 지출하지 못할 건 아니라고 생각한다. 입만 열면 통상이 우리의 미래이며, 우리는 수출로 먹고산다는 나라 아닌가. 통상을 위한 분석 인프라를 한번 돌아보자. 한미 fta 논의가 아닌가. 우리가 얼마나 주먹구구식으로 통상에 임하고 있고, 하나하나의 단계가 어처구니없는지 보여 주지 않았는가? fta를 적극적으로 추진하든, 아니면 다른 방식으로 하든, 지금까지의 통상 협상 과정에서 드러난 기본 연구 능력의 결여는 어떤 식으로든 보완되어야 한다. 지금의 연구소나 대학에 더 많은 돈을 주고 하면 되지 않느냐고? 안 된다는 걸 보지 않았는가? 유감스러운 일이지만, 국가 공무원으로 자신의 명예를 걸고 연구하는 통상 분석관 제도를 도입하지 않으면, 고위 공무원-대학-연구소로 연결된 지금의 통상 카르텔의 끼워 맞추기 식 연구를 극복할 방법이 없다. 현실적으로 자신의 책임하에 연구하는 분석관 제도 외에는 지금의 문제가 개선되지 않을 것이다. 그건 통상 기구가 어느 부처로 가느냐, 누가 협상을 담당하느냐와 상관없이 반드시 풀어야 할 문제이다.

한미 fta 협정문 국문 번역본에서 번역 오류가 수없이 나와서 결국 법원에서 정오표를 공개하도록 판결하였다. 협상 기본 분석이나 전략 제시는커녕, 있는 문장도 제대로 번역할 수 없는 게 지금 통상교섭본부의 인력 구조이다. 비정규직 번역을 할 수밖에 없는 구조, 그나마 fta 담당관에 소위 장관의 딸인 '똥돼지'가 치고 들어왔던 상황, 그게 우리의 현실이다. 이게 외교부가 그렇게 자랑하던 통상교섭본부의 현주소이다.

지금부터라도 이런 문제들을 풀어야 다시는 김현종 같은 사람이 툭 튀어나와서 대통령과 독대하면서 이 나라를 쥐고 흔드는 일이 벌어지지 않는다. 미국이나 호주, 심지어는 일본과 비교해도, 우리는 통상과 같은 중요한 정책을 너무 허술하게 결정할 수밖에 없는 구조를 가지고 있다. 이래서는 제2, 제3의 김현종이 계속 튀어나오게 생겼다.

통상은 국민 경제의 보완적 장치이다. 그걸 망각한 지금, 꼬리가 몸통을 흔들고 있다. 이러한 기현상은 시정되어야 한다.

에
필
로
그

가끔 나한테 질문을 해 본다. 2012년 12월 19일, 한미 fta가 우리나라에 도움이 된다고 믿는 정치인이 야당 측 대선 후보로 나선다면 과연 나는 그에게 투표할 것인가? 지금까지 대선에서 민주당에 투표한 것은 딱 한 번이었는데, 노무현 때였다. 전에는 백기완과 권영길에게 투표하였다. 정동영이 나섰던 대선에서는 정말 마지막이라고 생각하면서 역시 권영길에게 투표하였다.

권영길을 두 번이나 대선 후보로 내었던 사람들은 지금의 진보신당, 지난 총선을 계기로 해체된 정당을 중심으로 모여 있다. 일부는 심상정, 노회찬과 함께 통합진보당에 모여 있다. 진보신당이 지금은 비록 소수파로 몰려 있지만, 백기완 선본부터 치면 25년의 전통을 가지고 있다. 정치적으로 얘기하면, 여기가 한국의 좌파들이고, 대략 2%의 국민적 지지를 얻고 있다. 한국 국민을 정치적으로 나누면, 30%의 보수, 30% 정도의 진보, 그리고 40%가 특별히 지지하는 정당이 없거나 중도라고 대답한다. 그리고 자신을 좌파라고 하는 사람들은 2% 정도 된다. 그게 그거라고 할지도 모르지만, 진보는 30~35% 정도, 좌파는 2% 정도, 그게 한국의 현실이다. 이 2%의 좌파는 친북도 아니고 반미도 아니다.

이런 일련의 흐름에서 내가 대선에서 민주당에 투표했던 딱 한 번이 바로 노무현 때의 일이다. 이회창이 집권하면 나라가 망할 것 같다고 생각하기도 했고, 노무현이라는, 한 번도 겪어 보지 못했던 새로운 흐름에 많은 기대를 한 것도 사실이다. 그에 대한 인간적 애틋함이, 아직도 있다. 어쩌면 나는 한 번도 내가 지지할 수 있는 정부를 가져 보지 못한 것이 사실이다.

배신은 한 번으로 족하다는 것이 솔직한 내 심정이다.

그러나 이렇게 간단하게 결론을 내리기 어려운 것은, 역시 정치만큼이나 경제도 현실적이기 때문에 그렇다. 이명박 시대는 나에게도 괴로웠고, 지금 한국 경제를 지나치게 낙관적으로 보는 박근혜의 시대에 한국 경제는 더욱더 어두워질 것이다. fta만의 문제는 아니다. 그는 통상에 대해서도 '동시 다발적 fta'를 제외하면 아무 생각이 없는 듯하다. 물론 대통령 혼자 다 알아서 하는 게 아니니까, 주변의 학자들과 관료들의 도움을 받아서 운영하는 건 당연하다. 그러나 그 주변의 학자나 관료들 역시 마찬가지이다. 한국의 무역이 가야 할 길 혹은 통상 전략에 대해서 깊이 생각해 보지 않은, fta의 신앙을 가진 사람들로 주변을 채우고 있다.

이런 딜레마 속에서, fta에 대한 생각이 박근혜와 별반 다르지 않은 야당 측 후보가 단일 후보로 나선다면 과연 나는 어떻게 할까? 솔직히 이 책을 써 내려가면서 처음부터 끝까지 내 머릿속에서 그 질문이 떠나지 않았다. 경제라는 틀에서는, 나는 나름대로 가야 할 방향 정도는 찾은 것 같다. 그러나 그걸 구현할 수 있는 정치적 해법은 전혀 찾지 못했다. 그래서 반쪽짜리 학자라면 반쪽짜리 학자일 것이고, 이상주의자라면 이상주의자일 것이고, 근본주의자라면 역시 근본주의자일 것이다. 그렇지만 아닌 건 아닌 거다.

그런 점에서 대통령이 우리에게 던진 한미 fta 날치기는, 단기적으로는 경제적인 효과보다는 정치적인 효과가 더 크다고 할 수 있다. 지난 4월 총선에서 야당은 패배했다. 패배의 요소는 여러 가지가 있겠지만, 패배가 결과인지 혹은 패배가 이유인지, 한미 fta는 반MB 전선의 한가운데를 갈랐다. 현재 상황으로는, 한미 fta가 대선 의제로 올라올 가능성이 별로 높지 않다. 그런 점에서, 'ISD는 표준 약관과 같은 것'이라고 말한 박근혜는 정치적으로 승리자가 되었다. 객관적으로 말하자면, 한미 fta는 박근혜의 승리이며, 동시에 노무현 시절에 통상을 중심으로 세계를 보려고 했던 21세기 버전 중상주의자들의 승리이며, 통상 버전 워싱턴 컨센서스라고 할 수 있는 노무현 컨센서스의 승리이다. 그러나 그게 노무현의 승리인지는 잘 모르겠다. 한때 노무현이 생각했던 것의 승리라고는 할 수 있는데, 인간 노무현이 승리하는 것인지는 잘 모르겠다. 어쨌든 누가 대통령이 되어도 노무현 후반기에 한국의 지배자들이 암묵적으로 동의했던 동시 다발적 fta 전략은 논의가 될 것도 아니고, 그냥 법률 조항처럼 법 위의 법으로 군림하게 생겼다. 경제적으로는 이 흐름에서 한국도 미국도 승자는 아니다. 아니, 시민으로 규정되는 사람들은 한국이든 미국이든, 패배하게 된다. 이긴 것은, 국적과 상관없이, 다국적 기업들이다.

이런 상황에서, 별다른 국민적 논의 없이 노무현 컨센서스에 속한 새누리당과, 역시 노무현 컨센서스에 속한 민주당 후보가 대선에서 격돌하게 되면 나는 어떠한 선택을 해야 할까? 이 질문 앞에 서 있다. 논리적으로는 세 가지 선택이 있을 수 있다. 투표를 포기하는 것, 눈 질끈 감고 민주당에 투표하는 것, 지금부터라도 민중 후보라고 할 수 있는 독자 후보를 열심히 지지하는 것. 내가 이번 대선에서 가장 원했던 것은 시민 경제에 대한 시민들 사이의 폭넓은 논의와 함께, 시민 후보라고 할 수 있는 정치인이 등장하게 되는 것이었다. 그러나 지금까지의 흐름은 그것과는 거리가 멀고, 오히려 노무현 컨센서스가 복귀하는 과정이라고 할 수 있다. 노무현 없는 노무현 컨센서스, 이것은 역설이지만, 하여

간 현실은 그렇게 되었다. 누가 되어도 노무현의 승리이면서 또한 누가 되어도 노무현의 패배인, 그런 기가 막힌 패러독스 안으로 우리는 들어가게 되었다.

더 문제인 것은, 기왕 탄력받은 김에, 노무현 컨센서스의 외교부의 폭주가 이번 대선에서도 속도 조절에 실패한다면 더 빨라질 것이라는 점이다. 우리가 중국과 협력해야 할 이유도 많고, 일본과 같이 추구해야 할 가치도 많다. 그러나 세밀하고 미세하게 장기적 전략과 함께 이런 질문들이 제시되지 않으면, 정말로 우리는 한미 fta와는 비교도 되지 않는 초울트라 괴수의 등장을 보게 된다. 한미 fta가 헌법을 정점으로 하는 한국의 법체계를 흔드는 것처럼, 지금 동시 다발적 fta 전략은 법 위의 법이 되었고, 경제 위의 경제가 되었다. 자기 안의 약자들을 돌보지 않는 나라가 21세기 경제에서 튼튼해지기는 어렵다.

이런 큰 흐름에서 보자면, 새로운 대통령이 미국에 팩스를 한 장 보내서 fta를 폐기하느냐 마느냐, 재협상 아니 재재협상에 나서느냐 마느냐, 이런 것은 오히려 소소한 문제이다. 외교부가 하고 싶은 것은, 궁극적으로 모든 나라와 fta를 체결하는 것이다. 그야말로 외교부 공무원 자리 몇 개 더 만들어 주자고 온 나라가 바늘구멍 안으로 기어 들어가는 모양새이다. 한-EU, 한미, 이렇게 거대 경제권과 fta를 했으면, 상식적으로 시간을 가지고 살펴보면서 중간 평가 등 효과를 분석하고, 기존의 전략을 점검하거나 수정하는 게 맞다. 그런데 이제 한미 fta를 했으니 나머지 것들은 더 빨리 속도를 내서 더 먼저 하자는 건 경제도 아니고, 외교도 아니고, 그냥 이념이다. 이 정도면 종교적 수준이다. 역사가 보여 주는 건, 이렇게 극단적인 통상주의자들이 경제를 이끌고 나갔던 나라들은 다 망했다는 사실이다.

물론 대선까지는 아직 시간이 있다. 한국은 워낙 역동성이 강한 나라라서, 순식간에 fta가 들불처럼 타올랐던 것처럼 또 다른 흐름으로의 전환 역시 빠른 속도로 진행될 수 있다. 그게 한국에서 살아가는 골치 아픈 일이기도 하지만, 또한 이 나라의 매력이기도 하다. 우리가 결국 박정희, 전또깡으로 이어지는 그 군부 독재도 극복한 나라 아닌가? 모든 경제적 문제가 한꺼번에 밀려왔던 토건과 통상 독재, 금융 관료의 문제, 결국은 하나씩 극복해서 우리도 선진국이 될 수 있다는 믿음을 가져야 한다.

그러기 위해서는 한국에서 정말로 시민이라는 존재가 하나의 흐름으로 등장해야 하고, 그들이 fta에 대해서 '한 스푼'만큼의 질문은 해야 한다고 생각한다. 물론 그렇다고 해서, 시민 한 명 한 명이 fta에 대한 전문가가 되어야 하고, WTO에서 fta에 이르는 소소한 규정과 구조들을 모두 알아야 한다고는 생각하지 않는다. 지금 외교부를 축으로, 노무현 컨센서스에 속한 사람들이 만든 진입 장벽이 너무나도 어렵게 만들고, 논의를 세세하게 쪼개서 감히 들여다볼 생각이 나지 않게 만든다. 여기에 질린 사람들에게 제시하는 것은 '어쨌든 좋은 것'이라는, 그야말로 통상 복음주의가 아닌가?

　작게 보면 통상교섭본부의 해체, 크게 보면 '동시 다발적 fta 전략의 폐지', 장기적으로는 노무현 컨센서스의 해체가 지금 우리에게 필요한 일이다. 위대한 한 명의 정치인이 이 일을 할 수는 없고, 그런 위대한 정치인이 지금 우리 곁에 당장 있는 것도 아니다. 2012년의 노무현 같은 거룩하고 숭고한 지도자가 있으면 좋겠지만, 그런 사람은 우리에게 없다. 이 사람은 이게 문제고, 저 사람은 저게 문제고, 아 또 이 인간은 내가 싫고…. 상황은 그렇다.

　시민들이 움직인다고 할 때, 나는 한미 fta가 맞느냐 틀리냐, 이 산업이 이익을 보고, 저 산업이 이익을 보고, 그렇게 논의할 필요는 없다고 생각한다. 내가 반미주의자가 아닌 것처럼, 한미 fta에 대해서 수많은 문제를 본 독자 여러분들도 반미주의자는 아닐 거라고 믿는다. 미국에 찬성하느냐 마느냐, 그런 개별적 국가에 대한 문제 하나가 덜렁 대선 의제로 올라가는 것도 이상한 일이다. 이 산업과 저 산업에 대한 비교라는 프레임 안에서, 대통령 노무현도 김현종에게 속았던 것 아닌가? 그 틀 안으로 들어가면, 우리는 있지도 않은 이익을 계산할 수도 없는 방식으로 추정한다고 하면서, 정작 우리 안에 있는 경제적 약자와 보호해야 할 장치들, 지켜야 할 덕목에 대해서 잊어버리게 된다. 그렇게 우리는 중상주의의 시대로 들어왔던 것이다.

지금 시민들이 알아야 할 fta에 대한 지식은 정말로 한 스푼만큼이다. 세계 어느 나라 국민도, 지금의 한국 국민들 이상의 수준으로 fta에 대해서 자세하고 소소하게 알지는 못한다. 국민 모두가 엄청난 전문가가 되어서, 통상 관료들이나 통상 관료들에게 포섭된 정치인들과 직접 토론할 수 있거나 설명할 수 있는 나라는 없다. 이건 사이비 종교와 같다. 사이비 종교의 교리에 대해서 더 많이 공부하고 자세히 알면 사이비 종교를 극복할 수 있을까? 그렇지는 않다. 황우석 사태 때도 마찬가지였다. '스템 셀'을 외쳐가며 온 국민이 줄기세포의 전문가가 되었었다. 그렇다고 해서 문제가 풀린 건 아니고, 결국 포토샵 사건이 밝혀지면서 극적인 전환이 왔다. 황우석 사태와 fta 날치기가 다른 건, 이번에는 온 국민이 실험 대상자이고, 온 국토가 실험실이라는 점이다. 게다가 포토샵 결과가 나와도, 광고와 홍보로 밀고 나갈 수 있다는 점이 다르다. 양심이라는 눈으로 보면, 젊은 과학도와 젊은 경제학도의 차이가 있다고 할까?

지금 시민들에게 필요한 것은 fta에 대한 더 많은 지식이 아니라 질문이다. 대선 혹은 그다음의 정치 과정에서 누구를 지지하든지, 혹은 누구를 열광적으로 사랑하든지, 그것은 개인의 자유라고 생각한다. 그러나 자신이 지지하는 혹은 지지하기로 마음먹은 정치인에게 이 질문을 꼭 한번 던지기 바란다.

"당신의 통상 정책은 무엇입니까?"

한미 fta, 심지어 동시 다발적 fta 전략 역시 통상 정책의 한 부분일 뿐이다. fta가 통상에 대해서 알고 있는 알파이자 오메가라면, 그 상태로 한국을 통치해서는 안 된다. 노무현의 실패가 바로 거기에서 온 것 아닌가? fta 말고는 통상에 대해서 아무것도 생각해 본 적이 없는 사람의 한미 fta 찬성, 그건 정책이 아니라 그냥 종교이고 이념일 뿐이다. 모르거나 생각해 본 적이 없으면 다시 생각해 볼 여지를 만드는 게 상식이다. 당연한 것 아닌가?

여기에 질문 하나를 더 얹자면, "부동산형 경제 공황기에 통상 정책은 어떠해야 하는가?"일 것이다. 좋든 싫든, 우리는 90년대에 일본이 겪었던 10년 이상의 장기 불황으로 들어가게 된다. 이 특수한 국면에서의 통상 정책은 그 이전의 통상 정책과는 달라야 할 것이다. 논리적인 질문이다. 노무현 마지막 해인 2007년, 1인당 경제 소득의 상승률은 5%로 상대적으로 가장 높았던 해이다. 호황이면 호황인 대로 통상 강화, 불황이면 불황인 대로 통상 강화, 그건 종교적 맹신이다.

대선으로 가는 길, 그 길이 맹신과 종교가 득세하는 공간이 되는 것은 우리 모두에게 불행한 일이다. 시민들이 더 많은 질문을 해야 하고, 과연 어떤 것이 우리를 위해서나 우리 아닌 세계를 위해서나 도움이 될 것인가 하는 논의가 필요하다. 독자 여러분들이 이렇게 질문을 던지는 계기를 찾았으면 한다.

자신이 지지하거나 지지하려고 한 정치인에게, 과연 어떠한 통상을 펼칠 것인가 질문을 한 번씩 해 보시기 바란다. 그 답이 무엇이든, 지금보다 우리의 운명은 개선될 것이다. 그리고 그 순간이 바로 노무현 컨센서스를 해체하고, 국민 경제든 통상이든, 제자리를 찾아가는 길이다. 그걸 위한 우리의 지식은 한 스푼, 우리의 질문도 한 스푼, 우리의 노력도 한 스푼…

지금 질문을 하는 게, 대선에서 전혀 지지할 수 없는 후보에게 그래도 표를 던질 것이냐 말 것이냐 하는 상황보다는 훨씬 나을 듯싶다. 세상은 조금씩 좋아진다. 그 말에는 동의한다. 그러나 그게 과거로 돌아가자는 말은 아니다. 때때로 우리는 근본적이지만, 집단적으로 망각한 질문들을 테이블 위에 올려놓을 필요가 있다. 그게 힘과 힘이 기계적으로 충돌하는 것보다는 훨씬 낫다고 생각한다.

과연 우리가 지금처럼 한미 fta 이후, 동시 다발적 fta를 국가 전략으로 계속 추진하는 것이 옳으냐, 그리고 지금의 속도가 우리가 감당할 수 있는 것이냐, 이런 질문들을 대선과 관련해서 우리가 해 봐야 한다. 그 질문들을 자신이 지지하는 정치인들에게 해 주시기 바란다. 대답이나 결론이 뭐라도 상관없다. 지금과 같이 '닥치고 fta', 그 광풍은 질문의 힘만으로도 멈춰 세울 수 있다. 그 광풍을 세우고 나야 비로소 우리가 선진국으로 갈 수 있는 길도 열릴 뿐 아니라, 지금부터 전개될 경제 위기를 극복할 출발점에 서게 된다.

국내에서는 사람이 죽거나 말거나, 자살을 하거나 말거나, fta
만 체결하면 우리나라가 잘살게 된다는 주술사들의 통상 독재의
시대는 이제 막을 내려야 한다. 그게 우리가 대선에 올려야 할 주
제이고 질문이다.

원치 않는 후보에게 그래도 명박 시대를 종료하기 위해서 투표
해야 할 것인가 말 것인가, 그건 그때 가서 고민해도 될 것 같다.
다행인 것은, 2006년 노무현 컨센서스가 형성되던 시점에 비해서
시민이라는 존재가 훨씬 명확해졌고 실체가 생겼다는 점이다. 불
행한 것은, 시민들이 스스로 시민 후보라고 할 수 있는 정치인이
아직 없다는 점이다. 그리고 정말 다행인 것은, 개별적으로 질문
하는 데에 돈이 들지 않는다는 점이다. 정부와 대기업이 공중파
를 비롯해 거의 대부분을 독점하고 관리하는 이 시기, 질문의 힘
은 여전히 남아 있다.

국민들이 질문하지 않는 나라가 잘살게 된 예가 없다.

사회가 질문을 멈추면 군인이든, 관료든, 전문가든, 독재가 시
작된다.

(노무현의 인수위에서 김현종에게 전화한 사람은 과연 누구였
을까? 못내 궁금하다. 역사는 기막힌 우연의 연속이라지만, 한국
경제의 운명이 그 전화 한 통으로 바뀌게 되었다.)

이 책의 북펀딩에 참여해 주신 분들

강계환, 강주한, 김민숙, 김왕영, 김윤곤, 민동섭, 박성래, 이경호, 이나연, 이대범, 이동승, 이동익, 이명윤, 이미영, 이영희, 임수정, 장정주, 장진영, 정민수, 조윤숙, 채대광, 채민하, 채재수, 최경호, 최선희, 허남진 외 12인

fta 한 스푼
그리고 질문 하나

초판 1쇄 펴낸날 2012년 7월 7일

지은이 | 우석훈
펴낸이 | 이광호
펴낸곳 | (주)레디앙미디어
마케팅 | 이상덕
책임 교정 · 교열 | 박미향
본문 디자인 | 글빛
표지 디자인 | 손현주
출　력 | 소망
인　쇄 | 미래프린팅

등록 | 2006년 11월 7일 제318-2006-00128호
주소 | 서울시 영등포구 여의도동 13-5 오성빌딩 1108호
전화 | 02-780-1521 팩스 | 02-780-1522
홈페이지 www.redian.org
전자우편 book@redian.org

ⓒ 우석훈, 2012

ISBN 978-89-94340-12-8 03300